SAS

LA MADONE DE STOCKHOLM

DU MÊME AUTEUR
CHEZ LE MÊME ÉDITEUR

Nº 1 S.A.S. A ISTANBUL
Nº 2 S.A.S. CONTRE C.I.A.
Nº 3 S.A.S. OPÉRATION APOCALYPSE
Nº 4 SAMBA POUR S.A.S.
Nº 5 S.A.S. RENDEZ-VOUS A SAN FRANCISCO
Nº 6 S.A.S. DOSSIER KENNEDY
Nº 7 S.A.S. BROIE DU NOIR
Nº 8 S.A.S. AUX CARAÏBES
Nº 9 S.A.S. A L'OUEST DE JÉRUSALEM
Nº 10 S.A.S. L'OR DE LA RIVIÈRE KWAÏ
Nº 11 S.A.S. MAGIE NOIRE A NEW YORK
Nº 12 S.A.S. LES TROIS VEUVES DE HONG KONG
Nº 13 S.A.S. L'ABOMINABLE SIRÈNE
Nº 14 S.A.S. LES PENDUS DE BAGDAD
Nº 15 S.A.S. LA PANTHÈRE D'HOLLYWOOD
Nº 16 S.A.S. ESCALE A PAGO-PAGO
Nº 17 S.A.S. AMOK A BALI
Nº 18 S.A.S. QUE VIVA GUEVARA
Nº 19 S.A.S. CYCLONE A L'ONU
Nº 20 S.A.S. MISSION A SAIGON
Nº 21 S.A.S. LE BAL DE LA COMTESSE ADLER
Nº 22 S.A.S. LES PARIAS DE CEYLAN
Nº 23 S.A.S. MASSACRE A AMMAN
Nº 24 S.A.S. REQUIEM POUR TONTONS MACOUTES
Nº 25 S.A.S. L'HOMME DE KABUL
Nº 26 S.A.S. MORT A BEYROUTH
Nº 27 S.A.S. SAFARI A LA PAZ
Nº 28 S.A.S. L'HÉROÏNE DE VIENTIANE
Nº 29 S.A.S. BERLIN CHECK POINT CHARLIE
Nº 30 S.A.S. MOURIR POUR ZANZIBAR
Nº 31 S.A.S. L'ANGE DE MONTEVIDEO
Nº 32 S.A.S. MURDER INC. LAS VEGAS
Nº 33 S.A.S. RENDEZ-VOUS A BORIS GLEB
Nº 34 S.A.S. KILL HENRY KISSINGER !
Nº 35 S.A.S. ROULETTE CAMBODGIENNE
Nº 36 S.A.S. FURIE A BELFAST
Nº 37 S.A.S. GUÊPIER EN ANGOLA
Nº 38 S.A.S. LES OTAGES DE TOKYO
Nº 39 S.A.S. L'ORDRE RÈGNE A SANTIAGO
Nº 40 S.A.S. LES SORCIERS DU TAGE
Nº 41 S.A.S. EMBARGO
Nº 42 S.A.S. LE DISPARU DE SINGAPOUR
Nº 43 S.A.S. COMPTE A REBOURS EN RHODÉSIE
Nº 44 S.A.S. MEURTRE A ATHÈNES
Nº 45 S.A.S. LE TRÉSOR DU NÉGUS
Nº 46 S.A.S. PROTECTION POUR TEDDY BEAR
Nº 47 S.A.S. MISSION IMPOSSIBLE EN SOMALIE
Nº 48 S.A.S. MARATHON A SPANISH HARLEM

Nº 49 S.A.S. NAUFRAGE AUX SEYCHELLES
Nº 50 S.A.S. LE PRINTEMPS DE VARSOVIE
Nº 51 S.A.S. LE GARDIEN D'ISRAËL
Nº 52 S.A.S. PANIQUE AU ZAÏRE
Nº 53 S.A.S. CROISADE A MANAGUA
Nº 54 S.A.S. VOIR MALTE ET MOURIR
Nº 55 S.A.S. SHANGHAÏ EXPRESS
Nº 56 S.A.S. OPÉRATION MATADOR
Nº 57 S.A.S. DUEL A BARRANQUILLA
Nº 58 S.A.S. PIÈGE A BUDAPEST
Nº 59 S.A.S. CARNAGE A ABU DHABI
Nº 60 S.A.S. TERREUR AU SAN SALVADOR
Nº 61 S.A.S. LE COMPLOT DU CAIRE
Nº 62 S.A.S. VENGEANCE ROMAINE
Nº 63 S.A.S. DES ARMES POUR KHARTOUM
Nº 64 S.A.S. TORNADE SUR MANILLE
Nº 65 S.A.S. LE FUGITIF DE HAMBOURG
Nº 66 S.A.S. OBJECTIF REAGAN
Nº 67 S.A.S. ROUGE GRENADE
Nº 68 S.A.S. COMMANDO SUR TUNIS
Nº 69 S.A.S. LE TUEUR DE MIAMI
Nº 70 S.A.S. LA FILIÈRE BULGARE
Nº 71 S.A.S. AVENTURE AU SURINAM
Nº 72 S.A.S. EMBUSCADE A LA KHYBER PASS
Nº 73 S.A.S. LE VOL 007 NE RÉPOND PLUS
Nº 74 S.A.S. LES FOUS DE BAALBEK
Nº 75 S.A.S. LES ENRAGÉS D'AMSTERDAM
Nº 76 S.A.S. PUTSCH A OUAGADOUGOU
Nº 77 S.A.S. LA BLONDE DE PRÉTORIA
Nº 78 S.A.S. LA VEUVE DE L'AYATOLLAH
Nº 79 S.A.S. CHASSE A L'HOMME AU PÉROU
Nº 80 S.A.S. L'AFFAIRE KIRSANOV
Nº 81 S.A.S. MORT A GANDHI
Nº 82 S.A.S. DANSE MACABRE A BELGRADE
Nº 83 S.A.S. COUP D'ÉTAT AU YEMEN
Nº 84 S.A.S. LE PLAN NASSER
Nº 85 S.A.S. EMBROUILLES A PANAMA
L'IRRÉSISTIBLE ASCENSION DE MOHAMMAD REZA, SHAH D'IRAN
LA CHINE S'ÉVEILLE
LA CUISINE APHRODISIAQUE DE S.A.S.

AUX PRESSES DE LA CITÉ

PAPILLON ÉPINGLÉ
LES DOSSIERS SECRETS DE LA BRIGADE MONDAINE
LES DOSSIERS ROSES DE LA BRIGADE MONDAINE

AUX ÉDITIONS DU ROCHER

LA MORT AUX CHATS
LES SOUCIS DE SI-SIOU

GÉRARD DE VILLIERS

LA MADONE DE STOCKHOLM

PLON

Photo de la couverture : Jérôme DA CUNHA
Arme prêtée par l'armurerie Jeannot

ISBN : 2-259-01604-9
ISSN : 0295-7604

CHAPITRE PREMIER

Lee Edward Updike ouvrit les yeux, réveillé par la lumière filtrant entre les rideaux. Les fenêtres du *Grand Hôtel,* l'établissement le plus luxueux de Stockholm, ne comportaient ni volets, ni stores. La chaleur était telle dans la chambre qu'il avait rejeté durant la nuit l'épaisse couette qui en Suède remplace les couvertures. A côté de lui, Leslie dormait sur le ventre, exposant sa croupe callipyge et son long dos moelleux, le visage caché par la masse de ses cheveux blonds. L'Américain se pencha et promena lentement son index le long de sa colonne vertébrale.

La jeune femme s'étira, grogna, frémit, soulevant ses reins en une offrande ensommeillée, sans émerger complètement.

Ce spectacle enflamma Lee Updike, pourtant loin d'être sevré. Depuis qu'il avait quitté l'atmosphère pesante du labo d'Albuquerque, au Nouveau-Mexique, il avait l'impression d'être en voyage de noces.

Il se leva pour gagner la salle de bains, au sol de marbre chauffé par des résistances électriques. La glace lui renvoya l'image de son corps osseux aux épaules larges, avec son sexe déjà gonflé reposant entre ses cuisses noueuses. Ses rares cheveux châtains se dressaient en épis et il les remit en place d'un coup de brosse. On ne pouvait pas dire que ses traits chevalins étaient beaux, mais ses yeux bleus à l'expression un peu étonnée dégageaient un charme certain. Une grande bouche bien dessinée ajoutait une touche de sensualité au visage, plutôt sévère.

Recoiffé, il traversa la chambre et tira les rideaux. Le temps abominable des derniers jours avait fait place à un ciel bleu et lumineux. De l'autre côté du Strömmen, le bras de mer séparant Stockholm et Gamla Stan, la vieille ville, le château royal était presque pimpant avec ses façades ocre délavées, directement inspirées de l'art italien. En face du *Grand Hôtel,* une douzaine de vapeurs blancs emmenant les touristes pendant les beaux jours dans la myriade d'îles de l'archipel semées dans la Baltique à l'est de Stockholm, se balançaient à quai, désarmés. Très bientôt, la neige allait se mettre à tomber. Puis ce serait le froid et la longue nuit. Les bonnes années, la Baltique gelait jusqu'à la côte estonienne, à plus de deux cents kilomètres.

Lee regarda le soleil : à neuf heures et demie du matin, il était toujours bas sur l'horizon... Il se retourna. Leslie, mal réveillée, l'observait.

— Qu'est-ce qui se passe ? bougonna-t-elle.

Lee Updike revint vers le lit sans répondre. La jeune femme lui tournait le dos et il s'allongea contre elle, pressant son corps contre le sien, nichant son sexe entre les globes rebondis de sa croupe.

— Rien ! murmura-t-il.

Elle referma les yeux. Collé à elle, Lee sentait son sexe durcir et grossir. Il se frotta lentement contre le corps tiède de Leslie, achevant d'éveiller son désir. Le luxe qui l'entourait et l'argent dont il disposait avaient un effet aphrodisiaque sur lui. Il ignorait encore combien de temps ces « vacances » allaient durer, mais entendait en profiter pleinement.

Son membre raide et brûlant glissa entre les fesses cambrées de Leslie, rencontra la moiteur de son sexe et Lee s'y enfonça d'un seul coup de hanche qui les souda encore plus l'un à l'autre. Leslie poussa un bref soupir d'aise, frémit et fit semblant de continuer à dormir. Elle adorait être prise ainsi, à demi somnolente. Quand elle était à Albuquerque, Lee venait lui faire l'amour ainsi, chaque matin avant d'aller à son laboratoire de physique. Un des creusets du projet *Starwar* où il vivait dans une atmosphère de camp de concentration. Même à l'extérieur, il n'était pas libre, le FBI le soumettant à des enquêtes régulières, ouvrant même parfois son courrier. Mais ce qui l'oppressait le plus, c'était le regard fou de certains généraux en visite lorsqu'il expliquait le progrès de ses recherches. Il avait alors la sensation de se trouver en face du docteur Folamour...

Leslie était persuadée qu'il avait démissionné afin de pouvoir passer leurs après-midi allongés sur une couverture, en plein désert, au milieu des rochers, à faire l'amour comme des malades. Mais c'était un sentiment beaucoup plus profond qui avait poussé Lee Updike : l'angoisse de préparer la fin du monde. Maintenant, les deux mains crochées dans les hanches de la jeune femme, il la besognait avec application, propulsant son grand corps osseux à puissants coups de reins, poussant peu à peu Leslie vers le bord du lit. Elle bascula soudain dans le vide et ils atterrirent tous les deux sur la moquette. Quand leur fou rire se fut calmé, Leslie voulut se relever.

Lee, le sexe toujours en bataille, la repoussa sur la moquette, la tête appuyée contre le mur de la salle de bains. Agenouillé, il passa les jambes de la jeune femme sur ses épaules, s'engouffra en elle et se mit à la pilonner de toutes ses forces. Le contact de la moquette sous ses reins décuplait le plaisir de Leslie, lui donnant l'impression de se faire violer. Elle cria, le ventre inondé, soulevant ses hanches pour aller au-devant du sexe qui la taraudait.

Lee s'agitait comme un damné.

— Viens ! Viens ! supplia Leslie. Viens avec moi !

Elle se tendit en arc de cercle au moment où il se répandait en elle et où le téléphone sonnait.

Ils mirent quelques instants à redescendre sur terre. Puis, Lee se redressa, titubant jusqu'au téléphone. Etrange habitude suédoise : l'appareil se trouvait sur le bureau et non près du lit.

— Allô !

Il écouta son interlocuteur puis laissa tomber, sans enthousiasme :

— OK. Je suis en bas dans dix minutes.

Leslie se releva, les yeux encore brouillés de plaisir et regarda sa montre. Lee la contemplait, fou d'admiration, amoureux comme un collégien. Saine, heureuse de vivre, sans angoisse, adorant le sport et l'amour, elle était capable de traverser un désert en moto ou de se déguiser en vamp, relevant en chignon ses longs cheveux blonds.

— Pourquoi m'as-tu réveillée si tôt ? demanda-t-elle en bâillant, découvrant des dents parfaitement rangées.

Lee plongeait déjà sous la douche.

— J'avais rendez-vous avec ce photographe finlandais et je voulais te baiser avant...

Leslie secoua sa toison blonde en riant, et se recoucha. Plutôt nonchalante, elle n'aimait rien de plus que tirer le maximum de plaisir de son corps épanoui.

Elle terminait paresseusement une licence de sciences physiques lorsque Lee Edward Updike, jeune physicien renommé, était venu donner une conférence à son université. Elle avait été fascinée par ses yeux bleus et s'était débrouillée pour l'approcher. Lee, dont les jours et les nuits étaient dévorés par le projet *Starwar*, avait basculé... Leslie

Manson se moquait de *Starwar* comme de son premier porte-jarretelles et s'était fait l'écho enthousiaste des doutes de Lee Updike sur son travail.

Ce dernier jaillit de la salle de bains, passa un jean, une chemise, un gros chandail, prit quelques papiers et embrassa Leslie, en train de cuver son orgasme.

— Tu en as pour longtemps ? demanda-t-elle.

— Une heure, peut-être. Ce type est venu d'Helsinki pour me photographier.

Leslie s'étira, souriant aux anges, faisant jaillir sa poitrine pleine et ronde, comme pour tenter encore son amant.

— Alors, reviens vite. J'ai encore envie de faire l'amour.

*
**

Un grand jeune homme blond à la tignasse frisée attendait au milieu du hall, engoncé dans une parka verdâtre, son visage presque enfantin émergeant d'un chandail à col roulé. Il se précipita vers Lee Updike et lui secoua le poignet à l'arracher.

— Mr Updike, je suis Anti Tallur de l'hebdomadaire *Hymy*, le plus important de Finlande.

Lee Updike bâilla, s'efforçant d'oublier les hanches voluptueuses de Leslie. *Hymy* devait royalement tirer à cinquante mille dans une langue que personne ne comprenait... Mais enfin, il fallait faire plaisir à son *sponsor* qui lui assurait une vie fastueuse en Suède et surtout la sécurité... Méfiant quand même, il demanda :

— Qui avez-vous contacté pour cette interview ?

— Wollmar Holmer, répondit aussitôt le journaliste finlandais. Il ne vous en a pas parlé ?

— Si, si, mentit Lee Updike.

Wollmar Holmer était le journaliste de l'*Expres-*

sen, le grand quotidien suédois qui lui avait versé, pour la publication de son histoire, la modeste somme de trois cent mille dollars. Il avait également veillé sur sa sécurité en collaboration avec la Säpo (1).

Anti Tallur avait sorti un Nikon et commençait à faire des photos au milieu du hall, sous l'œil réprobateur des réceptionnistes.

— Qu'est-ce que vous voulez faire exactement ? demanda Lee Updike. Seulement des photos ?

Le Finlandais secoua vigoureusement sa tignasse frisée.

— Non, non ! Je veux aussi une interview. Savoir pourquoi vous avez quitté le programme *Starwar*, pourquoi vous êtes venu en Suède ; si vous vous sentez menacé ; si les Américains ont tenté de vous tuer ou de vous kidnapper.

Son débit saccadé en mauvais anglais était à peine compréhensible. Tout en parlant, il shootait sans arrêt, tournoyant autour du grand Américain comme un derviche. Les rares personnes qui pénétraient dans le hall du *Grand Hôtel*, accompagnées d'une rafale de vent glacial, leur jetaient un regard étonné.

— Nous pourrions nous installer dans le bar, suggéra Lee Updike.

Le somptueux bar à gauche de l'entrée, avec une terrasse donnant sur l'embarcadère des vapeurs, était totalement désert.

Anti Tallur eut un sourire tiimide.

— Si cela ne vous ennuie pas, je voudrais vous photographier dans Strandvägen, devant l'ambassade américaine.

Lee Updike se ferma.

— Je veux bien faire des photos dehors, mais pas là-bas.

(1) Säkerhetspolisen, équivalent suédois de la DST.

— OK, OK, concéda immédiatement le photographe. Alors, nous pouvons aller dans Gamla Stan.

— Si vous voulez.

Anti Tallur rangea son Nikon et précéda l'Américain dehors. Ils furent accueillis par une rafale à décorner tous les bœufs de la terre. Un peu plus loin sur Strömgatan, un pêcheur essayait d'attraper des saumons dans le bras de mer séparant Stockholm nord de Stockholm sud. Anti Tallur poussa Lee Updike à côté de lui et immortalisa la scène. Ils s'éloignèrent ensuite vers Vasabron, le petit pont menant à la vieille ville.

Beaucoup plus petit que Lee Updike, le Finlandais avait du mal à suivre ses grandes enjambées.

— Est-ce que vous comptez vous installer définitivement à Stockholm ? demanda-t-il.

— Je ne sais pas encore, fit prudemment Lee Updike.

Pour l'instant, son passeport US avait été annulé et le gouvernement suédois lui avait délivré un laissez-passer lui donnant les mêmes droits qu'un Suédois. Il ne s'en était pas encore servi, se sentait en sécurité en Suède, dans une sorte de cocon aseptisé et douillet, loin du monde réel. Un jour bien sûr, il faudrait bien qu'il bouge. Il ne pouvait pas vivre éternellement au *Grand Hôtel.* D'ailleurs l'*Expressen* ne payait ses frais que jusqu'à la fin du mois d'octobre. Leslie le poussait à partir dans un pays chaud, mais il avait peur.

Anti Tallur s'accroupit de façon à cadrer le château royal derrière lui et demanda :

— Vous êtes marié, Mr Updike ?

Lee Updike hésita un quart de seconde avant de répondre :

— Non, mais il est possible que je me marie bientôt.

— Avec une Suédoise ?

— Non, avec une Américaine.

— Elle est avec vous ?
— Oui.
— Je pourrais la rencontrer, la photographier ?
— Je ne pense pas, elle n'aime pas ça.

⁂

Leslie Manson s'était presque rendormie quand une sonnerie la fit sursauter. Au moment de décrocher le téléphone, elle réalisa que le bruit venait de la porte. Elle s'en approcha et cria à travers le battant :

— Qu'est-ce que c'est ?
— *Room service,* répondit une voix de femme.

Leslie fut submergée par un flot de reconnaissance. Elle adorait prendre son petit déjeuner au lit et Lee le savait. Il avait dû le lui commander d'en bas.

— *Just a sec* (1) !

Elle fonça à la salle de bains pour s'envelopper dans une grande serviette puis défit la chaîne et se mit en devoir de regagner son lit, devinant du coin de l'œil une silhouette de femme, en tablier blanc comme le personnel de l'étage. Elle allait se recoucher quand elle réalisa que le femme ne portait aucun plateau.

Leslie Manson s'immobilisa, étonnée.

La femme qui l'avait suivie jusqu'au milieu de la chambre ne ressemblait pas à une domestique avec son visage en lame de couteau et ses yeux noirs enfoncés.

Un homme avait pénétré dans la chambre derrière elle. Il venait de refermer la porte et de mettre la chaîne. Leslie Manson le regarda avec stupéfaction. Il avait le type arabe, avec des cheveux très noirs et une moustache épaisse bien coupée.

(1) J'arrive !

— Qui... qui êtes-vous ? balbutia-t-elle, effrayée.

Instinctivement, elle voulut se diriger vers le téléphone. La femme fit un pas de côté pour lui barrer le chemin. L'homme se rua en avant et, d'une violente bourrade, précipita Leslie sur le lit, arrachant sa serviette. La jeune Américaine poussa un hurlement terrifié et, nue comme un ver, tenta à nouveau de foncer vers le téléphone.

Aussitôt rattrapée par le moustachu. Celui-ci ramassa la couette par terre et, s'en servant comme d'un filet, emprisonna Leslie dedans. Il avait une force herculéenne et, très vite, la jeune femme se retrouva à plat ventre sur le lit, ses jambes émergeant de la couette, le visage dans les oreillers, tout le poids de l'homme sur ses reins.

Ses cris hystériques étaient étouffés par sa position mais risquaient quand même d'être entendus à l'extérieur.

Le moustachu se retourna vers la femme, ses yeux noirs rétrécis par la tension.

— *Now, quick!* jeta-t-il.

Les muscles de son cou saillaient sous l'effort. Leslie Manson était en bonne condition physique et il avait du mal à la maintenir. Sans lui répondre, la femme se pencha et ôta ses escarpins à talons moyens.

Tenant ensuite sa chaussure gauche dans la main droite, elle empoigna le talon. Avec un petit claquement, le talon pivota, révélant une cavité creusée sur toute sa profondeur. La femme en fit tomber un étui en verre de quelques centimètres, qu'elle recueillit dans le creux de sa main.

A l'intérieur, sur un lit de coton, se trouvait une mini-seringue nickelée, longue d'à peine cinq centimètres. L'aiguille était protégée par un minuscule fourreau d'acier. La femme ouvrit le tube de verre, prit la seringue dans sa main droite, s'approcha du lit et lança à son compagnon :

— *Hold her well* (1) !

L'homme pesa encore plus sur Leslie qui continuait à gémir de terreur dans l'oreiller. De la main gauche, la femme dégagea la couette sur sa nuque. Puis, elle balaya les longs cheveux blonds sur le côté, révélant le creux duveteux de la nuque.

Leslie fit un bond sous la couette, aussitôt réprimé par celui qui la tenait.

— Attention ! murmura la femme.

Elle lâcha les cheveux et d'un geste sec arracha le fourreau de l'aiguille. Celle-ci n'avait guère que quelques millimètres de longueur. Avec précision, la femme abattit son poing armé de la seringue sur la nuque de la jeune Américaine. Appuyant en même temps sur le piston pour la vider du peu de liquide qu'elle contenait.

Sous la légère douleur, Leslie Manson poussa un cri de surprise. La femme s'était déjà redressée, la seringue vide au creux de la main. Cela avait duré moins de cinq secondes. Leslie poussa un râle bref, et tout son corps tressauta sous un spasme qui lui arracha un gémissement rauque. Le moustachu lâcha involontairement sa prise. Le corps de la jeune femme eut encore quelques tressaillements, puis s'immobilisa.

La femme replaça soigneusement le fourreau sur l'aiguille, puis la seringue dans son tube de verre, et enfin le tout dans la cavité de son talon gauche avant de se rechausser. Son visage n'exprimait absolument rien.

— Dépêchons-nous, dit-elle.

Frigorifié, Lee Updike prit la pose pour la dixième fois devant le luxueux magasin NK sur Klara-

(1) Tiens-la bien.

bergsgatan, les Champs-Elysées de Stockholm, où étaient exposées sur toute une vitrine les dernières créations de Claude Dalle. Devant un grand lit Tiffany recouvert de soie sauvage, l'Américain s'imagina en train de faire l'amour à Leslie et cela le réchauffa un peu.

Le photographe finlandais n'arrêtait ni de parler, ni de faire ses photos. Lee Updike rêvait à une douche chaude comme un chien rêve à un os. Malgré le ciel bleu, il faisait une température sibérienne.

— Rentrons à l'hôtel, proposa-t-il. Je demanderai à ma fiancée si elle veut faire des photos.

Certain que Leslie refuserait. Elle avait horreur de cela.

— Encore cinq minutes, réclama Anti Tallur. Ensuite, nous pourrons déjeuner au *Café Opéra* avec votre fiancée. Cela fera de très belles photos. Est-ce que vous avez l'intention de venir en Finlande ?

— Non, affirma Lee Updike, d'un ton sans réplique.

Il était pacifiste mais pas naïf. La Finlande était trop près de l'Union Soviétique. Il n'avait pas envie de tomber de Charrybe en Scylla...

— Dommage, fit Anti Tallur en train de réenrouler son film, c'est un très beau pays.

Leslie Manson était tassée dans la baignoire, les yeux fixes, la tête rejetée en arrière. Semblant dormir. Debout à côté d'elle, la femme qui l'avait tuée l'arrosait méthodiquement avec la pomme de la douche, s'attardant à la masse blonde des cheveux.

La femme dirigea ensuite le jet de façon à inonder le sol de marbre chauffé, comme l'aurait fait un utilisateur maladroit.

Son compagnon, peu sensible au côté irréel de cette scène macabre, l'observait de la chambre, jetant de fréquents coups d'œil au téléphone. Ils se trouvaient là depuis moins de cinq minutes, mais ça lui semblait une éternité. Enfin, la femme coupa le jet d'eau et se tourna vers son complice :

— Prends-la maintenant.

L'homme se pencha et saisit le corps inerte de Leslie Manson sous les genoux et les aisselles. D'un effort puissant, il parvint à l'arracher de la baignoire. Dans le mouvement, une cheville de la jeune femme heurta le mur.

— Attention, imbécile, ne la cogne pas...

La voix de la femme avait claqué comme un fouet.

Elle lui prit le bras, le guidant comme un metteur en scène conseille un acteur sur la position à prendre devant une caméra. Le faisant pivoter, de façon à ce que la nuque de Leslie Manson se trouve juste au-dessus du rebord de la baignoire.

C'était la partie la plus difficile de sa mission. Si elle ratait cela, le reste n'aurait servi à rien et elle en serait responsable. Elle chassa de son cerveau cette éventualité désagréable.

— C'est bien comme ça, fit-elle. Quand je te le dis, tu la lâches. Mais attention, hein, les genoux et les épaules en même temps.

— Oui, oui ! souffla le moustachu.

Il titubait, la sueur au front dans la chaleur de sauna. La femme recula un peu, vérifiant une ultime fois que le corps était dans la bonne position.

— Vas-y !

L'homme ouvrit les bras, laissant échapper le corps de Leslie Manson.

La nuque de la jeune femme heurta le rebord de la baignoire avec un bruit mou et écœurant, et le corps glissa jusqu'à terre.

L'homme avait reculé. Sa complice enjamba le corps allongé sur le sol, l'examinant avec une attention intense. A l'angle que faisait la tête avec le corps, elle vit immédiatement que son plan avait fonctionné. Le choc contre le rebord à l'angle vif de la baignoire avait broyé le cervelet de Leslie Manson et brisé les vertèbres cervicales. Une mousse rosâtre commençait à suinter de sa nuque, à travers la peau éclatée, se mêlant à l'eau répandue sur le dallage de la salle de bains.

— On y va ? demanda nerveusement le moustachu.

Il transpirait abondamment. On lui avait interdit de prendre une arme et il se sentait sans défense. En plus, le devant de sa veste était trempé.

— Une seconde ! fit la femme.

Elle saisit la douche flexible par le tuyau d'une main et, de l'autre, attrapa la main droite de la morte. Posant la douche sur son genou, elle referma les doigts de la femme qu'elle avait tuée autour du manche chromé, y imprimant ses empreintes, puis laissa retomber le bras. De cette façon, la mise en scène était parfaite.

La femme regagna la chambre, jeta un coup d'œil autour d'elle. Rien de suspect. Elle consulta sa montre : exactement sept minutes s'étaient écoulées depuis le moment où ils étaient entrés.

— C'est bien, dit-elle, on peut partir.

— Et l'argent ?

On lui avait promis une prime de dix mille couronnes. Il avait rencontré la femme une heure plus tôt dans un café de Tegnergatan où se retrouvaient beaucoup d'étrangers, le pub *Chez Léo*, selon un rendez-vous pré-arrangé par celui qui l'avait « loué » pour ce job et à qui il ne pouvait rien refuser. Ils appartenaient à la même organisation clandestine et chez eux, on ne discutait pas les ordres. La femme lui avait expliqué ce qu'elle attendait de lui avec des détails très précis mais il ne savait même pas son nom. Ils avaient pénétré dans le *Grand Hôtel* à vingt minutes d'intervalle et s'étaient retrouvés sur le palier du quatrième.

— Tu connais la station de métro de Rinkeby? demanda-t-elle.

— Oui.

C'était au nord-ouest de Stockholm, un quartier de HLM presque uniquement habité par des travailleurs immigrés, la plupart moyen-orientaux.

— Tu descends là-bas... Tu prends une rue qui s'appelle Trondheimsgatan. Tu vas jusqu'au numéro 38. Tu entres dans le couloir. Quelqu'un t'y attendra et te remettra ce que tu as gagné. Vas-y maintenant.

La femme franchit le petit couloir, ouvrit la porte, vérifia d'un coup d'œil qu'il n'y avait personne à l'étage et poussa son complice dehors.

Elle referma, attendit quelques minutes, appuyée au battant. Parfaitement calme, elle essuya avec un mouchoir le tuyau de la douche et les endroits qu'elle avait pu toucher, enfin la poignée de la porte et sortit à son tour. Au lieu de prendre un des ascenseurs, elle emprunta l'escalier débouchant dans la galerie marchande du *Grand Hôtel*. De là, elle traversa le hall et sortit, gagnant à pied Sveavägen, la grande avenue commerçante. Elle héla un taxi et se fit conduire à l'Air Terminal urbain au nord de Sveavägen. Un bus partait pour l'aéroport d'Arlanda et elle s'y installa.

Une heure plus tard, après l'interminable route bordée de sapins, elle atteignit l'aéroport international. Encore trois minutes pour récupérer son sac de voyage à la consigne automatique. Puis elle se présenta à l'embarquement d'un des deux vols quotidiens Air France pour Paris. L'enregistrement fait, elle gagna la salle de départ. En Suède, il n'y avait aucun contrôle à la sortie du pays. Aussi, personne ne pouvait se rendre compte que le nom sous lequel elle voyageait n'était pas celui de son passeport. Une fois son sac passé aux rayons X, elle se mit à flâner dans les boutiques free-shop et fonça vers les parfums. Là où elle vivait, ils étaient hors de prix.

*
**

Lee Updike retrouva le hall du *Grand Hôtel* avec un soulagement indicible. Le vent glacial l'avait pénétré jusqu'à l'os. Tout aussi frigorifié, Anti Tallur se frottait les mains.

— Nous faisons les photos avec votre fiancée ? demanda-t-il.

— Je vais lui demander, répliqua prudemment Lee Updike.

Il se dirigea vers les « house-phones » à côté du concierge. La chambre ne répondait pas. Il alla inspecter la « breakfast-room » sans succès. Leslie devait être dans sa baignoire.

— Je vais la chercher, jeta-t-il au photographe. Attendez-moi ici.

Il n'avait plus qu'une idée : se débarrasser de ce jeune photographe finlandais aussi souriant que collant...

Arrivé au quatrième, il ouvrit la porte du 416 et appela :

— Leslie ?

Intrigué par le silence, il avança jusqu'au milieu de la chambre et aperçut soudain un pied nu sur le dallage de la salle de bains. Il eut l'impression qu'une main géante lui broyait l'estomac. Il se rua en avant, le cœur dans la gorge. Le sol de marbre était à peine teinté de rose, et il crut que Leslie était seulement évanouie.

— Leslie !

Il bondit sur le téléphone.

*
**

Le moustachu qui avait participé au meurtre de Leslie Manson émergea du métro signalé par un gros « T » à Rinkeby, dans un quartier de rues lugubres qui ne menaient nulle part, bordées d'immeubles minables et d'arbres squelettiques.

Il n'eut aucun mal à trouver Trondheimsgatan, triste voie ornée d'un patchwork de clapiers modernes et de vieilles maisons décrépites. Le froid était plus vif qu'au centre de Stockholm et il enfonça les mains dans les poches de sa canadienne.

Le numéro 38 était une vieille maison aux volets clos, qui semblait inhabitée. Le moustachu pénétra dans le couloir. Une femme le suivait depuis quelques dizaines de mètres, engoncée dans une peau de mouton, une chapka marron enfoncée jusqu'aux yeux. Elle entra à sa suite dans le couloir et appela :

— Latif ?

Le meurtrier de Leslie se retourna. Il vit un visage mat avec des yeux noirs sans expression. Puis l'inconnue sortit la main droite de sa pelisse entrouverte, prolongée par un gros revolver dont le canon se terminait par un énorme silencieux ressemblant à une boîte de conserve. Elle tendit le bras et, l'extrémité du canon à quelques centimètres de la poitrine de Latif, appuya sur la détente. Le chien, déjà relevé, se rabattit et l'arme partit avec une détonation sourde presque entièrement étouffée par le silencieux.

Le projectile semi-blindé de « 357 Magnum » pénétra dans le haut de la cage thoracique de Latif, traversa sa poitrine, faisant éclater au passage l'aorte et la trachée artère et ressortit dans son dos, en faisant un trou gros comme le poing.

Latif était mort avant d'avoir touché le sol. Il ne vit même pas sa meurtrière se pencher et lui tirer une seconde balle dans l'oreille qui lui fit exploser la moitié du crâne.

CHAPITRE II

Une lumière incertaine et nébuleuse noyait Strandvägen, fleuron du quartier résidentiel de Stockholm. Malko, du fond de son taxi, regardait défiler les ambassades et les immeubles cossus en pierre de taille noirâtre, refuges des derniers nantis. Un Airbus d'Air France l'avait amené de Vienne à Paris, puis de Paris à Stockholm. Entre les Airbus et les Boeing 737, les dizaines de vols hebdomadaires sur la Scandinavie, c'était la solution la plus simple.

L'ambassade américaine était pratiquement le dernier building de Strandvägen, en face d'un bras de mer. La ville s'arrêtait brutalement après le grand bâtiment blanc moderne de cinq étages surmonté par l'énorme disque d'une antenne satellite. Des ouvriers achevaient de l'entourer d'une clôture métallique sous l'œil bovin d'un soldat en kaki faisant penser à son collègue veillant sur les diplomates turcs de l'autre côté de l'avenue.

Toujours le terrorisme...

Malko émergea de son taxi, transpirant sous sa pelisse : il s'attendait à trouver en Suède un froid sibérien alors qu'en ce premier décembre la température était de six ou sept degrés. Mais cela pouvait changer en une heure, avec le vent glacial soufflant de la Baltique.

Un Marine en uniforme, raide comme un automate, prit sa carte, téléphona et déclencha ensuite le portique électronique. L'intérieur de l'ambassade était un vrai sauna... On aurait pu y vivre en maillot. Un homme en manches de chemise, grand et dégingandé, un peu voûté, la moustache fournie, l'accueillit chaleureusement au cinquième étage et le fit entrer dans un bureau aux murs tapissés de cartes du nord de l'Europe. Dans un coin, un grand téléviseur Samsung permettait de recevoir les seize canaux recueillis par l'antenne parabolique de l'ambassade.

— Bienvenue à Stockholm ! dit-il. On a un temps étonnant pour la saison. Vous avez fait bon voyage ?

— Excellent, dit Malko.

Les sièges de la classe « Affaires » d'Air France s'étaient encore améliorés et il ne regrettait même plus la « Première », bannie par les comptables de la CIA. Même les malheureux tenus à la classe « Eco » avaient de nouveaux sièges.

Kevin Hudson, le chef de poste de la CIA en Suède, s'assit en face de lui et alluma une cigarette. Sa secrétaire posa un plateau avec deux tasses de café sur une table basse Claude Dalle, dont le plateau de verre biseauté était soutenu par deux authentiques défenses d'éléphant, seul luxe de ce bureau austère. L'Américain tendit le sucrier à Malko.

— Un ou deux sucres ?

Lui-même en prit deux.

Ce ne devait pas être une des lumières de la Company. Stockholm, en dépit de la proximité de l'Union Soviétique, n'était pas considéré comme un poste à haut risque.

— J'ai quelque chose de foutrement délicat sur les bras, annonça-t-il. Le cas Updike. On vous a expliqué ?

— Pas vraiment, dit Malko. Je sais seulement que

le NSC (1) s'y intéresse directement, puisque j'ai été contacté de Washington par le Desk « Europe » et non par la Direction des Opérations...

— Absolument, confirma vivement l'Américain. Il s'agit d'une affaire très difficile à résoudre. Nous allons être obligés de marcher sur des œufs. Les Suédois ne plaisantent pas avec leur indépendance et la Company n'a pas bonne réputation ici. C'est tout juste si on ne nous considère pas comme le Grand Satan.

— A quel exorcisme suis-je censé me livrer? demanda Malko.

— Que savez-vous exactement de l'affaire Lee Updike?

— Peu de choses, à travers les journaux. Lee Edward Updike est un physicien qui travaillait au programme *Starwar* à Albuquerque. Il a démissionné il y a quelques mois parce qu'il avait soi-disant pris conscience du danger que ses travaux faisaient courir à la paix... Et finalement, il s'est réfugié en Suède.

— Ça, c'est la partie émergée de l'iceberg, confirma Kevin Hudson, après avoir avalé la moitié de son café infâme. Lee Updike est un type de génie, un physicien spécialiste de lasers et d'électronique. C'est la raison pour laquelle la NASA l'avait recruté, en dépit de sa fragilité psychologique...

« Depuis cinq ans, il travaillait à la composante la plus secrète du programme *Starwar*. Vous savez que le concept de ce système est de détecter le départ de missiles intercontinentaux dès leur mise à feu et de les détruire durant leur phase ascensionnelle. Ce qui donnerait un avantage décisif à celui qui en bénéficierait, en cas de conflit nucléaire. Transformant son territoire en un sanctuaire inviolable.

— C'est ce que j'ai cru comprendre, dit Malko.

(1) National Security Council.

— Tout ce truc est basé sur des satellites d'observation surveillant l'Union Soviétique, continua Kevin Hudson. C'est eux qui doivent donner l'alerte. Ils sont, évidemment, très vulnérables à des « killer-satellites (1) » russes. Depuis le début de *Starwar*, c'est le casse-tête. Comment empêcher les Popovs de détruire tous nos satellites avant de nous envoyer leurs missiles sur la gueule... Or, cet enfoiré de Lee Updike a trouvé des moyens de défense à base de lasers de puissance et de contre-mesures électroniques, qui rendent nos satellites pratiquement invulnérables...

« Des trucs tellement complexes que ni vous ni moi n'y comprendrions rien après un mois d'explication. Et, en plus, c'est bien entendu hyper-classifié.

— Ça lui a donné mal à la tête et il a pris la tangente...

Kevin Hudson se permit un demi-sourire, vite effacé. L'heure n'était pas à l'humour.

— On ne sait pas vraiment ce qui s'est passé dans son foutu crâne... Le FBI a découvert qu'il était en liaison avec le Stockholm International Peace Institute, un organisme pas très clair... mais furieusement pacifiste. On pense que c'est eux qui lui ont mis dans la tête qu'il était un fauteur de guerre. Là-dessus, il est tombé sur une nana plutôt marginale qui a achevé de le faire basculer.

— Le FBI n'a rien pu faire pour l'empêcher de partir ? interrogea Malko.

Kevin Hudson eut un ricanement désabusé.

— Le FBI ! Avec leurs grosses godasses, ils ont toujours trois navettes de retard. Lee Updike est parti officiellement en vacances au Mexique et de là, il a pris l'avion pour Stockholm. Un mois après, alors qu'on le cherchait partout, l'*Expressen* a sorti

(1) Satellites offensifs.

la « confession » de Lee Edward Updike... Immédiatement reproduite dans tous les grands médias de la planète.

« Le National Security Council s'est réuni, les huiles de la Maison Blanche se sont pris la tête à deux mains et on a finalement demandé au vieux Casey de réparer les conneries. Le FBI devenait incompétent puisque cela ne se passait plus sur le territoire national...

Un ange passa, battant tristement l'air de ses ailes en berne.

— Et ici, à Stockholm, ça s'est passé comment ?

— Comme dans un cauchemar, fit Kevin Hudson d'une voix sépulcrale. Cet enfoiré savait que nous allions remuer ciel et terre pour le retrouver. A peine débarqué ici, grâce à ses contacts avec le Stockholm International Peace Institute, il s'est mis sous la protection des autorités suédoises, prétendant que sa vie était menacée par les services secrets américains... Ses copains l'ont immédiatement branché sur l'*Expressen*. Pour trois cent mille dollars, il a accepté de leur vendre son histoire, avec pas mal de révélations explosives sur *Starwar*. Ils l'ont installé au *Grand Hôtel*, où vous êtes maintenant et tout a commencé.

— Pourquoi a-t-il fait cela ?

— L'argent, je pense, fit l'Américain. Ici il n'avait aucun moyen d'existence. Et puis, aussi, le désir de faire connaître ses positions pacifistes.

— Et vous n'étiez au courant de rien ?

— Non, avoua piteusement l'Américain. On avait complètement perdu sa trace et les Suédois ne nous ont rien dit. J'étais même en vacances... A la Company les plus pessimistes s'attendaient tous les jours à voir sa photo apparaître dans la *Pravda*. Ça a été presque un soulagement quand mon adjoint m'a téléphoné au sujet de l'article dans l'*Expressen*... Inutile de vous dire que j'ai quitté la Grèce vite fait...

« J'ai trouvé une montagne de télégrammes de Washington, tous plus affolés les uns que les autres... L'*Expressen* avait déjà publié trois articles dont pratiquement chaque mot relevait du « secret-defense »... Les gens de la Maison Blanche s'arrachaient les cheveux par poignées.

— Qu'avez-vous fait ?

— J'ai suivi les ordres. Tenter de réduire au silence Lee Updike à tout prix. Après avoir fait la pute avec mes homologues suédois, j'ai réussi à le coincer au petit déjeuner et à lui transmettre le message de la Maison Blanche.

— Qui était ?

— Qu'il rentre à la maison et il s'en tirerait avec une peine de prison avec sursis pour avoir gravement nui au pays. Sinon, le gouvernement ne pourrait rester indifférent à la divulgation de secrets d'état. Ce salaud m'a envoyé promener. Le lendemain il a donné une interview à l'*Expressen* pour dire que je l'avais menacé et qu'il se plaçait sous la protection de la police suédoise... Dix minutes plus tard, j'étais convoqué par la Säpo.

« Leur chef m'a dit qu'ils soupçonnaient la Company du pire et qu'ils considéreraient comme un acte politique d'une extrême gravité la moindre pression pour faire retourner notre ordure au bercail contre sa volonté...

« Le lendemain, c'est notre ambassadeur qui était convoqué au ministère des Affaires Etrangères où on le mettait en garde contre toute ingérence dans les affaires intérieures suédoises, en précisant que la Suède repousserait toute demande d'extradition. Vous savez bien que ces salauds nous détestent depuis la guerre du Vietnam. Et, pendant ce temps Lee Updike a continué paisiblement à cracher son venin dans l'*Expressen* pendant huit jours. Distillant des secrets jusqu'ici jalousement gardés. Les Popovs, bien entendu, buvaient du petit lait... A un cocktail, l'ambassadeur soviétique est venu me dire en se marrant, que pour une fois que nous avions un défecteur, il rigolait bien.

Malko avait entendu parler des révélations de Lee Updike à l'époque sans y prêter trop d'importance. Il était au bout du monde, à Panama, et tout cela semblait alors irréel. D'autant que les Américains avaient gardé un profil bas.

— Que s'est-il passé ensuite ? demanda-t-il.

— J'ai réussi à le revoir une seconde fois. Cette fois en présence d'un haut fonctionnaire de la police suédoise. Je lui ai expliqué les conséquences de ses actes s'il ne rentrait pas de lui-même aux Etats-Unis. Il m'a répondu qu'il voulait s'établir en Suède qui lui avait offert un passeport.

— Et les Soviétiques ?

— Je n'ai pas abordé le sujet avec lui pour ne pas lui donner de mauvaises idées mais j'en ai parlé avec les gens de la Säpo. Ils m'ont juré qu'ils veilleraient à ce que la neutralité de leur hôte soit strictement préservée et que, d'ailleurs, il n'avait manifesté aucune intention de se rendre en Union Soviétique. Il avait même refusé une invitation à un cocktail de l'ambassade où on ne risquait pourtant pas de l'enlever. Les Suédois m'ont averti également qu'ils seraient tout aussi vigilants en cas de tentative de notre part de récupérer Lee Updike sans son consentement... Notre ambassadeur m'a répété la même chose. Les Suédois seraient capables de rompre les relations diplomatiques si nous leur marchons sur les pieds dans cette affaire.

— Quel est le plus important ? demanda Malko. Récupérer Lee Updike ou rester bien avec la Suède ?

Kevin Hudson grimaça un sourire :

— Il ne faut pas poser le problème dans ces

termes. La Maison Blanche veut récupérer Updike sans se brouiller avec les Suédois. La quadrature du cercle...

Malko ne comprenait pas très bien la raison de son brusque voyage. Apparemment, il s'agissait d'une vieille histoire.

— Tout ceci se passait il y a deux mois, remarqua-t-il. Qu'est-il arrivé depuis ?

— Ce salaud est toujours à Stockholm.

— Il n'écrit plus dans les journaux ?

— Non.

— Alors que craignez-vous ? Le mal est déjà fait.

Kevin Hudson jeta à Malko un regard lourd de sous-entendus.

— Ce qu'écrit Lee Updike dans l'*Expressen* représente environ dix pour cent de ce qu'il pourrait révéler, fit-il. Il sait tout sur ces fichus satellites et toutes ces informations sont toujours bien au chaud dans sa tête. Nous en sommes certains et les Soviétiques s'en doutent. Ils donneraient n'importe quoi pour le mettre à l'abri chez eux, avec tout le temps de le cuisiner.

— Mais apparemment, il ne les aime pas non plus ?

— Non, il n'a pas l'air... Neutre, pacifiste, rêveur, utopiste, mais pas pro-soviétique.

— Le KGB est intervenu dans sa défection ?

Kevin Hudson eut un geste évasif.

— Je le ne crois pas, mais ce n'est pas impossible. Le Stockholm International Peace Institute comporte pas mal d'agents d'influence soviétique comme toutes les structures pacifistes. Au début, nous avons cru à une coïncidence mais ce qui est arrivé depuis tendrait à me faire croire le contraire.

« C'est la raison pour laquelle vous êtes ici.

— Pourquoi avoir attendu si longtemps ? objecta Malko.

L'Américain acheva son café et se leva pour allumer. Le jour était de plus en plus pâle.

— Nous avions examiné la situation dans tous les sens et conclu qu'il n'y avait rien à tenter pour le moment. Simplement le State Department avait obtenu des Suédois qu'ils nous avertissent au cas où Lee Updike déciderait d'aller s'installer ailleurs. S'il partait pour Moscou, qu'on ne l'apprenne pas par la presse.

— C'est en effet la moindre des choses, approuva Malko.

Kevin Hudson se versa une nouvelle tasse de café, y ajouta le tiers du sucrier avant de continuer. Par la baie de son bureau, Malko voyait de gros nuages accourir de la Baltique, obscurcissant le ciel, accompagnés de furieuses rafales de vent qui faisaient trembler les vitres. L'hiver arrivait. Même si on n'avait vu un premier décembre aussi chaud, de mémoire de Suédois...

— Lee Updike n'a pas bougé de Stockholm, continua le chef de poste de la CIA. Bien entendu, je le faisais surveiller par des *stringers* (1) afin de voir un peu comment les choses évoluaient. Pendant un mois, jusqu'à fin octobre, l'*Expressen* l'avait installé au *Grand Hôtel* pour le montrer à des journalistes étrangers... Et puis sa petite amie, Leslie Manson, celle qui l'avait accompagné depuis les Etats-Unis et l'avait poussé à quitter son boulot, est morte.

— Un accident ?

L'Américain eut une mimique dubitative.

— C'est là tout le problème... Ça s'est passé il y a un mois et demi maintenant. Elle a glissé dans sa salle de bains au *Grand Hôtel* et s'est fracturé la nuque contre le rebord de la baignoire. Tuée sur le coup.

(1) Contractuels.

— Qu'est-ce qui vous fait croire que ce n'est pas un accident ?

L'Américain ouvrit un dossier vert posé devant lui.

— Un certain nombre d'indices, dit-il. Dans la période qui a précédé la mort de Leslie Manson, nos stations d'écoutes ont enregistré une augmentation notable des communications radio entre la Rezidentura du KGB à Stockholm et celle de Tallin, en Estonie, juste de l'autre côté de la Baltique. Hélas, nous n'avons pas pu les déchiffrer complètement. Nous savons seulement qu'il s'agissait d'une opération ponctuelle concernant le Département S du Premier Directorate.

La Section « Action » du KGB, chargée entre autres des liquidations physiques.

— Et ensuite ?

— Le jour où Leslie Manson est morte, Lee Updike avait rendez-vous avec un photographe de l'hebdo finlandais *Hymy*. Il était convenu qu'ils feraient des photos dehors et que, donc, la jeune femme serait seule dans sa chambre.

— Cela a une importance ?

— Enorme. Elle et Lee ne se quittaient jamais, sauf dans ces circonstances-là... Aussi ai-je interrogé mon homologue d'Helsinki et découvert que *Hymy* est infiltré par des agents d'influence pro-soviétiques et a été déjà mêlé à des opérations de désinformation.

« Ensuite, ce photographe, Anti Tallur, est estonien d'origine et toute sa famille se trouve à Tallin. Les Finlandais ont toujours trouvé suspect qu'il puisse régulièrement lui rendre visite en Estonie.

— Ce serait donc une taupe ?

— Probable.

— Ce n'est pas lui qui l'a tuée ?

— Non, bien sûr. Mais la façon dont il est arrivé jusqu'à Lee Updike est intéressante. Ce dernier pensait qu'il venait directement de la part de

Wollmar Holmer, le journaliste de l'*Expressen* qui veille sur lui. Or, c'est une certaine Ingrid Stor, elle aussi journaliste, qui a arrangé le rendez-vous avec Anti Tallur.

— Et cette Ingrid ?

L'Américain exhiba une fiche de carton blanc.

— Voilà : Ingrid Stor, célibataire, trente-deux ans, née à Malmö. Rédactrice culturelle à P 2, une des chaînes officielles de radio. Cataloguée comme gauchiste et marxiste. A des contacts avec le colonel Viktor Indusk, le rezident du KGB à Stockholm. Nous les avons photographiés ensemble. Elle a écrit de nombreux articles attaquant les dissidents soviétiques et estoniens... Tenez, la voilà.

Il tendit une photo à Malko. Une grande Walkyrie blonde moulée dans un chandail, un pantalon collant à sa croupe callipyge et des bottes, en train de monter dans une Golf.

— Vous pensez donc que le KGB a organisé cette interview pour séparer Updike de sa fiancée ?

— Je le crois.

— Mais le meurtre ?

— C'est plus délicat. On n'a pas fait d'autopsie et pratiquement pas d'enquête. Mais les circonstances de cet accident me semblent bizarres. De plus, j'ai relevé deux faits curieux. D'abord, le jour de la mort de Leslie Manson, un Kurde a été assassiné dans un quartier reculé de Stockholm. Deux balles de 357 Magnum, une exécution. A ce jour, la police suédoise ignore pourquoi il a été tué et par qui.

— Quel est le lien ?

— Ce type, Latif Suleymaneh, appartenait au PKK, le parti indépendantiste kurde, entièrement entre les mains du KGB. Il y a pas mal de Kurdes en Suède et le PKK y est relativement important. Or, ce Latif était arrivé un mois plus tôt, ne travaillait pas et ne connaissait personne. Impossible de retracer son itinéraire. Sauf qu'il est passé par Berlin-Est.

« Je me suis procuré une photo de lui et je l'ai montrée au personnel du *Grand Hôtel*. Deux employés croient l'avoir vu dans le hall le jour de la mort de Leslie Manson.

— Mais tous les Kurdes se ressemblent pour un Suédois...

— C'est exactement ce que m'ont dit les gens de la Säpo, remarqua amèrement l'Américain.

— Ce n'est pas tout ! fit Kevin Hudson. J'ai fait un travail de fourmi. En épluchant les noms de tous les passagers qui ont quitté Stockholm par avion dans les heures suivant la mort de Leslie Manson, j'ai trouvé quelque chose d'intéressant ! Une certaine Fedorowa Topinska a pris l'avion pour Paris, le vol Air France 675. A Roissy 2, elle n'a eu que le temps de sauter dans un vol Air France pour Budapest. Vu le nombre de correspondances, elle est passée totalement inaperçue.

« Deux choses. D'abord, il y avait le soir un vol direct de Stockholm à Budapest. Ensuite, ce nom est le pseudo d'une Hongroise qui travaille pour le département S. Une exécutrice. Or, curieusement, nous n'avons trouvé aucune trace de son entrée en Suède.

Malko réfléchissait à la complexité du mécanisme évoqué par l'Américain. Cela ne l'étonnait pas. Quand un grand service voulait se livrer à une exécution, il procédait de façon à ce qu'il n'y ait aucun lien direct entre le meurtrier et les véritables commanditaires. Il restait quand même une question capitale.

— Pourquoi n'avez-vous pas fait part de votre hypothèse à Lee Updike ? interrogea Malko.

Kevin Hudson lui jeta un regard de commisération.

— C'est ce que j'ai fait. Au cours d'un entretien

organisé par un de mes amis à la Säpo. Updike est entré dans une violente colère et m'a accusé de vouloir le manipuler en utilisant la mort de son amie. Il est parti en claquant la porte.

— Il est demeuré ou quoi ?

— Non. Ce genre de choses lui échappe, simplement. Et mon intervention a eu l'effet contraire. J'ai su qu'il a demandé à la Säpo si la Company avait pu faire assassiner Leslie Manson, afin de le déstabiliser. Et mon copain de la Säpo m'a gentiment fait comprendre qu'il me croyait un peu parano...

— Supposez que vous ne le soyez pas, dit Malko. Pourquoi le KGB se serait-il donné tant de mal pour liquider Leslie Manson. Vous l'aviez « tamponnée » ?

Une lueur passa dans les yeux de l'Américain.

— Je ne suis pas parano, fit-il presque agressivement, et je vais vous expliquer pourquoi à mon avis le KGB a liquidé cette malheureuse fille. Et ce que j'attends de vous.

« Langley me donne un mois pour récupérer Lee Updike.

CHAPITRE III

Comme pour souligner les paroles de Kevin Hudson, une brusque rafale de vent fit trembler la baie vitrée. Malko eut l'impression que la bise glaciale avait traversé les murs et s'était infiltrée sous ses vêtements.

— Après ce que vous m'avez dit, fit-il, cela semble difficile.

— Il faut absolument prendre nos homologues soviétiques de vitesse, expliqua Kevin Hudson. J'ai la conviction que la disparition de Leslie Manson est le premier volet d'une opération visant à récupérer Lee Updike en douceur...

— Comment ? demanda Malko, plutôt étonné.

— Eux non plus ne veulent pas provoquer un incident diplomatique. Même si les Suédois penchent à gauche, ils sont néanmoins très à cheval sur leur neutralité.

« Seulement le KGB veut Lee Updike au moins autant que nous. Or, il n'est pas question d'une action brutale. Vous comprenez ?

— Absolument, dit Malko.

— Donc, à mon avis, ils ont eu l'idée suivante. Imaginez que Lee Updike tombe amoureux d'une bonne femme. Que celle-ci l'attire dans un autre pays sous un prétexte quelconque. Et que, là, il y soit kidnappé par une équipe du Département S... Les Suédois ne pourront rien dire.

— Vous pensez qu'il est aussi naïf que cela? s'étonna Malko.

— C'est un enfant ! laissa tomber d'un ton méprisant l'Américain. Leslie Manson lui avait fait quitter son boulot et son pays. Une autre fille peut faire la même chose. Il a besoin de s'accrocher à une femme. Quand vous le verrez, vous comprendrez.

— Vous voulez dire que Leslie Manson aurait été supprimée pour laisser la place libre à une femme manipulée par le KGB? Vous avez quelque chose pour étayer votre théorie?

Une lueur de triomphe passa dans les yeux du chef de poste.

— Oui, dit-il. Je me suis débrouillé pour mettre un de nos *stringers* dans les pattes de Lee Updike. Un jeune dissident estonien, Juri Maran. Un type fantastique. Et vous savez ce que j'ai découvert? Depuis quelques jours, Ingrid Stor, la journaliste gauchiste de P2, ne quitte plus Lee Updike. Il découche même de son hôtel pour passer la nuit avec elle.

L'Américain alluma une cigarette, laissant Malko digérer ses révélations. L'histoire tenait debout et le KGB avait fait des coups encore plus tordus que cela.

— Vous avez prévenu les Suédois?

Le chef de poste lui adressa un regard réprobateur et offusqué.

— Bien sûr que non! Ils vont encore m'accuser d'anti-soviétisme viscéral et de paranoïa. En plus, Ingrid Stor est suédoise, donc intouchable. Ils seraient capables de la prévenir.

— Vous craignez donc que cette Ingrid Stor fasse sortir Lee Updike de Suède et s'évanouisse dans la nature avec lui?

— Exactement. Si elle s'y prend bien, elle peut même l'amener à Moscou, sans coercition.

— Qu'attendez-vous de moi ? Que je le séduise à la place de cette fille... ?

L'Américain ne sourit même pas.

— En quelque sorte, oui, dit-il sans se dérider. D'abord, il faudrait que vous l'approchiez, et que vous le sondiez, afin de voir où il en est dans sa tête.

— Comment ? Vous m'avez dit qu'il vomit la Company...

— En vous faisant passer pour journaliste. Notre ami Juri Maran arrangera cela. Dieu merci, vous êtes autrichien.

— Cette partie-là me paraît faisable, concéda Malko. Mais ensuite ? Même si Lee Updike se confie un peu à moi, cela n'empêchera rien.

— Il faut que vous deveniez son copain, insista Kevin Hudson. Que vous soyez en mesure de surveiller les progrès du plan de nos homologues. Et qu'en même temps vous en mettiez un au point pour récupérer Lee Updike. Selon les instructions de Langley.

— Je dispose de quels moyens ?

— Pour l'instant, Juri Maran et tout l'argent dont vous pouvez avoir besoin.

— C'est tout ? fit Malko, déçu.

— Je n'ai que des analystes et quelques informateurs qui seraient incapables de vous seconder efficacement, expliqua le chef de station de la CIA. Aucune infrastructure clandestine et pas de « baby-sitters ».

— Si je comprends bien, les Soviétiques sont mieux implantés que vous en Suède.

— Sans aucun doute, soupira Kevin Hudson. Grâce à l'attitude bienveillante de Mr Olof Palme.

— J'espère que je trouverai une brillante idée qui nous évitera de faire la guerre à la Suède.

De nouveau, son humour tomba à plat. Kevin Hudson tiraillait sa moustache, pensif.

— Il y a une possibilité, remarqua-t-il. Dévoiler les plans de nos homologues, lorsqu'ils seront déjà avancés et que nous en aurons des preuves. Cela risque d'ouvrir les yeux de Lee Updike. Dans ce cas, on pourrait peut-être le faire revenir en douceur. En lui promettant l'impunité pénale.

De nouveau la baie vitrée trembla sous l'assaut de la bourrasque. On se serait cru en pleine campagne. L'ambassade donnait sur une vaste prairie bordée par un maigre bois d'où émergeaient les superstructures d'un émetteur de télévision.

— Et si cela échoue ? demanda Malko. Un mois, c'est court pour une opération de retournement...

— S'il refuse, fit avec gravité le chef de poste de la CIA, le 31 décembre, ou même avant s'il y avait urgence, je repasse l'affaire à la direction des Opérations. Ils travaillent déjà sur une solution alternative. Une solution qui se terminerait avec un préjudice extrême pour Lee Edward Updike.

Malko éprouva un petit picotement au creux de l'estomac. En termes clairs, la CIA se préparait à assassiner le défecteur si, lui, ne parvenait pas à le ramener dans le bon chemin.

Devant son expression réprobatrice, l'Américain continua d'une voix pressante :

— Nous ne pouvons pas laisser Lee Updike passer de l'autre côté. Ce serait aussi grave pour notre défense que, jadis, en 1948, la trahison des Rosenberg.

Julius et Ethel Rosenberg. Des scientifiques américains qui avaient communiqué à l'Union Soviétique les secrets de la bombe atomique, juste après la guerre. Ils avaient terminé sur la chaise électrique...

Malko se dit que les Suédois n'avaient pas tout à fait tort. Lee Updike avait le choix entre être kidnappé par le KGB ou exécuté par la CIA. Il ne devait pas réaliser dans quelle galère il se trouvait... Finalement, la mission de Malko consistait à lui sauver la vie.

— Comment vais-je procéder ? demanda-t-il.

Le téléphone sonna, empêchant Kevin Hudson de lui répondre. L'Américain prit l'appareil, écouta quelques instants et raccrocha brutalement, furieux.

— Ça commence ! Je suis convoqué par le patron de la Säpo. Probablement à cause de vous. Ils ont dû vous repérer lors de votre arrivée.

— Ils me connaissent ?

— Ils ont de bons fichiers. Vous avez une arme ?

Malko avait emporté son pistolet extra-plat et une boîte de cartouches 225 à balles blindées, capables de tuer à cinquante mètres. L'arme reposait dans le double fond de sa valise, protégée de la détection des portiques magnétiques par une plaque de plomb.

— Oui.

— Sur vous ? demanda l'Américain horrifié.

— Non.

— Ne la prenez surtout pas.

— Je n'en vois pas l'utilité pour le moment, remarqua Malko. A moins que le KGB ne décide de faire un carton sur moi.

Kevin Hudson eut un tic qui lui remonta la lèvre supérieure, comme un chien qui va mordre.

— Pas impossible... Si ma théorie est juste, les Soviétiques ne vont pas apprécier de vous voir entrer dans le paysage. Donc, soyez sur vos gardes.

« Juri Maran vous attend au Filmhuset (1), dit-il. Dans le hall, en haut du plan incliné. Pour vous présenter à Lee Updike. Vous êtes censé avoir interviewé Juri pour le *Kurier*. Tenez, voilà sa photo. Il aura à la main un journal estonien, *Kodumaa*.

Malko regarda le cliché représentant un homme

(1) Maison du cinéma.

jeune aux longs cheveux blonds, avec un menton prognathe, des traits lourds typiquement slaves et des yeux enfoncés.

— Vous me ferez le compte rendu de votre rencontre ce soir, dit l'Américain. Maintenant, je vais affronter ces abrutis de la Säpo. Bonne chance.

*
**

Même sans le journal estonien, Malko aurait facilement reconnu Juri Maran. En dépit du froid, il ne portait qu'un blouson de cuir bleu au col de fourrure, mettant en valeur ses épaules d'athlète, et un pantalon de velours. Ses cheveux blonds presque aussi longs que ceux d'une femme encadraient un visage plat à la mâchoire imposante, éclairé par deux yeux d'un bleu candide.

Il faisait les cent pas dans la galerie du Filmhuset le long des vitrines où étaient exposées des caméras anciennes et des maquettes de décors de théâtre. On y accédait par un plan incliné extérieur, à partir du rez-de-chaussée. Le Filmhuset, au fond de Valhallavägen, était un building austère consacré au septième art. Les studios se trouvaient en bas, et au-dessus, il y avait une cinémathèque, des salles de projection et un restaurant. On y montrait encore avec respect la place où Ingmar Bergman venait parfois manger un sandwich au renne entre deux prises...

— Juri ?

Le jeune Estonien leva vivement la tête, examina Malko une fraction de seconde et ses traits s'éclairèrent d'un sourire chaleureux. Il secoua le bras de Malko à le détacher, sans lâcher son attaché-case qu'il tenait dans l'autre main.

— Je vous attendais, dit-il. Mr Hudson m'a tout expliqué, ajouta-t-il d'un air mystérieux.

— Lee Updike est là ?

Juri montra un couloir étroit.

— Au restaurant *Helan och Halvan* (1). Il vient d'enregistrer une séquence pour un magazine télé, je l'ai prévenu de votre venue.

Au bout du couloir, ils trouvèrent une cafétéria. Presque vide.

A une des tables, Malko aperçut un homme de profil, vêtu d'un gros chandail, le visage allongé, des cheveux frisés très clairsemés. Lee Updike, l'homme par qui le scandale était arrivé. Seulement, il n'était pas seul...

En face de lui se trouvait une créature étrange. Une énorme casquette à pont violette comme on n'en voit plus que dans les rétrospectives 1900 n'arrivait pas à enlaidir un visage de madone. Un pull jaune canari moulait une poitrine aiguë et des fuseaux de ski disparaissaient dans de longues bottes rouges... Malgré ce déguisement, Lee Updike semblait fasciné par son interlocutrice. Malko s'arrêta net et se retourna vers Juri Maran, plutôt ennuyé.

— Vous saviez qu'il n'était pas seul ?

— Non, avoua l'Estonien un peu désemparé. Mais je la connais, c'est une actrice, Natalja Kippar. Une Estonienne comme moi qui a fui les Soviétiques. Elle travaille pour la télévision.

— C'est un peu gênant, dit Malko. Il vaut mieux attendre qu'il soit seul.

Il s'apprêtait à faire demi-tour lorsque Natalja Kippar leva la tête, aperçut Juri Maran et lui adressa un signe joyeux de la main.

— Venez ! dit Juri à Malko.

Impossible de se défiler.

Le pull jaune canari s'écrasa contre la robuste poitrine du jeune Estonien et tous deux

(1) Laurel et Hardy.

échangèrent quelques mots dans une langue rigoureusement incompréhensible.

Malko fut frappé par le regard vide et triste de la comédienne. Lee Updike en plus faisait carrément la gueule...

Il serra mollement la main de Malko, ils s'assirent et Juri se lança dans les présentations. Le défecteur américain avait un regard d'enfant, un peu semblable à celui de Juri, des yeux bleus lumineux qui, lorsqu'ils se posaient sur vous, semblaient traverser votre âme. Ses traits réguliers et les grandes rides d'expression encadrant sa bouche lui donnaient un charme romantique. Il eut un léger sourire quand le jeune Estonien présenta Malko comme un sympathisant des dissidents.

— Je suis un dissident pas comme les autres, remarqua-t-il.

— J'ai suivi toute votre histoire, dit Malko. Y compris cet accident dramatique.

Une lueur triste assombrit les yeux bleus de l'Américain qui fit d'un ton absent :

— Oui, ça a été très dur. Tellement brutal.

Il sembla à Malko que des larmes perlaient à ses yeux. Natalja, aussitôt, se pencha vers lui, posa sa main sur la sienne.

— Nous avons tous eu des moments très durs. On s'en sort. Regardez, moi, je ne peux plus revenir dans mon pays, jamais...

— Moi non plus, répliqua tristement Lee Updike et, en plus, j'ai perdu la femme que j'aimais.

— Le monde est plein de femmes merveilleuses, affirma Juri. Vous en retrouverez une !

Belle santé morale... Un ange passa, puis Lee Updike consulta ostensiblement sa montre.

— Il va falloir que je m'en aille. J'ai un déjeuner.

— Vous n'avez pas le temps de parler avec notre ami ? interrogea anxieusement Juri.

— Pas maintenant.

— Voulez-vous dîner avec moi ce soir ? proposa Malko.

De nouveau, Lee Updike hésita.

— C'est-à-dire... Je ne serai pas seul. Je dois retrouver une amie...

— Aucune importance, affirma Malko. Si cela ne vous pose pas de problème.

Juri s'était rembruni.

— Encore cette gauchiste d'Ingrid, lâcha-t-il.

Lee Updike eut un regard agacé pour le jeune Estonien.

— Elle n'est pas gauchiste. Seulement idéaliste. Comme moi.

Il se leva, commença à enfiler une peau de mouton.

— Il ne faut pas juger les gens aussi catégoriquement, dit Malko pour apprivoiser Lee Updike. Est-ce que je peux vous déposer ?

— Natalja m'a déjà proposé, dit l'Américain radouci. Merci.

— Si ma voiture démarre ! corrigea Natalja d'un ton enjoué. Elle est plus vieille que moi...

Ils étaient tous debout.

— Où nous retrouvons-nous ? demanda Malko.

— Au *Café Opéra*, suggéra Lee Updike. Vers sept heures, après, il n'y a plus de places. Vous venez aussi, Juri ?

Natalja lança à Malko un regard un peu plus vivant avant de suivre Lee Updike. En dépit de son incroyable accoutrement, elle était réellement sublime avec ses yeux noirs et son visage de madone.

— Vous saviez qu'ils se connaissaient ? demanda Malko à Juri, dès qu'ils furent seuls.

Le dissident estonien secoua sa crinière blonde.

— Non. Mais Stockholm est petit. Ils se sont sûrement rencontrés ici.

— C'est fâcheux que nous ne soyons pas seuls, ce soir.

— Je sais, admit Juri, mais il est très timide, très sauvage. Cette Ingrid Stor a beaucoup d'influence sur lui.

Ils sortirent du restaurant. Malko avait remarqué que Juri ne s'était à aucun moment séparé de son attaché-case.

— Qu'avez-vous là-dedans ? demanda-t-il.

Juri eut un sourire plein de fierté.

— Tous mes dossiers sur les agents du KGB ici et en Estonie. Vous voulez les voir ?

— Plus tard, dit Malko.

Juri ouvrait déjà son attaché-case rempli à ras bord de papiers et de brochures. Un bottin ambulant... Malko suivait des yeux Lee Updike en train de descendre la rampe du Filmhuset, Natalja à son bras. Il ne payait pas de mine. Comment croire que les secrets de *Starwar* se trouvaient sous ce crâne déplumé d'intellectuel sans défense ? Il semblait empêtré de son grand corps, perpétuellement étonné, effrayé même.

Mais Andrei Sakharov, le physicien soviétique, avait l'apparence d'un inoffensif grand-père avec sa chevelure neigeuse et avait quand même mis au point la bombe à hydrogène. Il ne fallait pas se fier aux apparences.

Ils atteignirent le bas de la rampe. Quelques flocons de neige tournoyaient paresseusement avant de se dissoudre. Juri Maran les regarda d'un air extasié.

— Enfin, l'hiver arrive. Il est en retard cette année.

Ravi...

— On se retrouve directement au *Café Opéra ?* proposa Malko.

— A sept heures, compléta Juri.

Malko n'était pas vraiment fou de joie de se

trouver nez à nez avec la gauchiste soupçonnée par la CIA de manipuler Lee Updike. Elle aurait immédiatement des soupçons... Mais il lui était difficile de faire autrement.

*
**

— La voilà !

Malko suivit des yeux la silhouette qui se frayait difficilement un passage au milieu de la foule du *Café Opéra*. Une Walkyrie à l'allure dominatrice, presque impériale, sûre de l'effet qu'elle produisait sur les consommateurs agglutinés le long du bar, bière au poing, dans un vacarme d'enfer. Un bon mètre quatre-vingt... Un pull rose épais collant à une poitrine en obus, le jeans pâli par l'usure, découpant une croupe à rendre moites les mains de n'importe quel honnête homme. Les grandes bottes noires accentuaient l'allure troublante d'Ingrid Stor.

Lee Updike, Juri et Malko se levèrent comme un seul homme. Elle embrassa Lee sur la bouche, en se penchant un peu, adressa un signe de tête plutôt sec à Juri et tendit à Malko une longue main aux ongles courts, sans la moindre bague.

— Excusez-moi, dit-elle, mon cours de boxe française s'est un peu prolongé.

Elle lui broya les doigts dans une poigne de culturiste. Ses yeux ressemblaient à deux saphirs et en avaient la dureté. Ceux de Lee Updike paraissaient en être le pâle reflet... Ses cheveux presque blancs à force d'être blonds étaient coupés nettement, comme un casque, descendant très bas sur le front... Elle regarda autour d'elle et cria presque :

— Il y a de plus en plus de monde...

Il fallait hurler pour se parler. En plus des tables et des banquettes, une foule de gens consommaient debout, pressés comme des sardines sous les magnifiques lustres de cristal accrochés au plafond peint en bois sculpté, dans le plus pur style 1900 baroque flamboyant. Cela tenait du pub, de la brasserie, du tea-room et même du casino. A l'entrée, on avait coincé trois tables de roulette et de black-jack. Mise limitée : deux couronnes (1), socialisme oblige. A ce tarif, il fallait des siècles pour se ruiner.

Cette magnifique salle s'ouvrait sur une sorte de verrière, tout aussi bondée, qui se transformait en fin de soirée en dancing où les minettes suédoises ayant noyé leurs inhibitions dans le J & B se faisaient allégrement draguer.

— C'est un bel endroit, n'est-ce pas ? cria Ingrid à l'oreille de Malko.

Elle parlait un anglais un peu scolaire avec un accent guttural.

— Superbe, approuva Malko.

Réprimant sa rage. Ce n'était vraiment pas l'endroit idéal pour « tamponner » Lee Updike. Ce dernier, assis de l'autre côté d'Ingrid, avait posé une main sur sa cuisse et la massait inlassablement. C'est probablement lui qui avait usé le tissu à ce point... Il dévorait littéralement des yeux la sculpturale journaliste et Malko ne pouvait guère le blâmer. On leur avait apporté des bières et de l'aquavit avec des blocs de gorgonzola, gâterie appréciée des Suédois. La conversation se réduisait à quelques banalités. Juri semblait mal à l'aise et Lee Updike n'avait visiblement pas envie de parler. Malko se demandait comment briser la glace en présence de sa garde du corps.

C'est Ingrid qui monta à l'assaut.

— Alors, vous êtes venu de Vienne pour voir Lee ? cria-t-elle à son oreille. J'espère que vous n'allez pas l'ennuyer...

Leurs regards se croisèrent et il sentit qu'elle le

(1) Deux francs.

disséquait avec la rapidité et la précision d'un ordinateur.

— Je veux seulement qu'il me raconte son histoire pour le *Kurier*, assura Malko.

De ce côté-là, il était clair. Le rédacteur en chef était un honorable correspondant de la CIA et le couvrait. Il se tourna vers Lee Updike :

— L'approche de l'hiver ne vous fait pas peur ? Il va faire plus froid qu'au Nouveau-Mexique...

Juri renchérit aussitôt :

— L'année dernière, à cette époque, il y avait un mètre de neige dans les rues.

Ingrid Stor éclata d'un rire puissant.

— Bien sûr que cela ne lui fait pas peur ! Je l'emmènerai faire du patin à glace sur la Baltique, quand elle sera gelée. Il n'a jamais patiné sur la mer.

— Elle gèle vraiment ? demanda Malko.

— On peut aller en Estonie à pied, affirma Juri. Du moins ceux qui ont un visa...

Ingrid Stor lui lança un regard furibond. Malko recommanda des aquavit et du J & B pour Lee. L'atmosphère se détendait un peu. Au moment où il allait proposer de bouger, Juri s'exclama :

— Tiens, voilà Natalja !

La dissidente estonienne bavardait avec des jeunes gens, debout près de l'entrée, dans l'attente improbable d'une table. Elle s'était débarrassée de sa casquette violette et ses longs cheveux noirs cascadaient sur ses épaules. Elle portait une combinaison en lastex noir, enfoncée dans ses bottes rouge vif, qui la moulait comme un gant.

Lee Updike la fixait. Son regard fut intercepté par Ingrid Stor.

La Suédoise se pencha aussitôt vers lui.

— Elle te plaît ?

Son ton était à la fois agressif et moqueur.

— Pas spécialement, bredouilla Lee Updike.

— Tu peux l'avoir facilement, c'est une pute, laissa tomber d'un ton définitif la journaliste. Elle sera trop contente de se montrer avec toi !

Malko crut que Juri allait lui sauter à la gorge. Il calma l'Estonien d'un regard. Natalja avait adressé un sourire dans leur direction et attendait, debout près d'une table de roulette.

— Attends, fit Ingrid, on va l'inviter ! (Elle leva les yeux vers Malko.) Vous permettez ?

La journaliste prit une pochette d'allumettes posée sur la table et l'ouvrit. Trois lignes étaient imprimées à l'intérieur : *Namn, telefon, intressen* (1) Ingrid Stor, d'un stylo rageur, écrivit « Lee Updike », « 875345 » et « Natalja ». Puis elle referma la pochette, appela un garçon blond comme les blés et la lui donna en lui désignant Natalja.

Il alla la remettre à la jeune femme qui prit connaissance du message. Elle releva la tête pour apercevoir Ingrid lui faire de grands signes tandis que Lee Updike plongeait le nez dans son J & B.

Natalja Kippar s'approcha de leur table avec un déhanchement provocant et adressa à Ingrid un sourire complice.

— C'est toi qui t'intéresses à moi ?

— Non, c'est lui, corrigea Ingrid. Viens prendre un verre. Ici, tu ne rencontreras que des *raggare* (2), à part nous. Comment va le cinéma ?

— Difficile, laissa tomber Natalja Kippar. On tourne très peu de choses. Je vais peut-être aller faire un film en Allemagne, le mois prochain.

Son anglais était presque parfait, sans accent. Malko la trouvait ravissante. Leurs regards se croisèrent et elle lui sourit.

— Je vous ai vu ce matin, non, au Filmhuset ?

— Exact, dit Malko. Qu'est-ce que vous buvez ?

(1) Non, telephone, intérêts.
(2) Voyous.

— Un Cointreau.

Terrorisé par son dragon blond, Lee Updike demeurait la tête obstinément tournée vers Ingrid, continuant à lui masser la cuisse à user son jeans. Le profil de marbre, Ingrid Stor jouait les indifférentes. Juri lança quelques mots en estonien à Natalja qui lui répondit. Ingrid Stor eut aussitôt une mimique méprisante.

— Vous ne pouvez pas arrêter de vous servir de votre langue de paysans... Heureusement que dans trois générations ils parleront tous russe.

De nouveau, Juri fut au bord de l'apoplexie.

— Ce sera toujours ma langue ! lança-t-il d'une voix tendue, même si nous sommes occupés. Je la fais apprendre à mon fils par un professeur.

Ingrid ricana.

— Un professeur ! Un criminel de guerre, oui, un homme qui a fait fusiller des centaines de prisonniers russes en septembre 44, avant de fuir lâchement son pays ! Un traître ! Et la dernière fois que vous avez été occupés, cela a duré trois cents ans...

Malko se leva, posant deux billets de cent couronnes sur la table. Il était temps de détendre l'atmosphère.

— Allons dîner, j'ai retenu chez *Alexandra.* Vous venez avec nous, Natalja ?

Son Alexandra lui manquait. Toujours occupée à sa vie mondaine à Vienne. Pourtant, de nouveau amoureuse. La veille de son départ, elle s'était donnée à lui uniquement gainée d'un bustier qui faisait jaillir sa poitrine et de bas noirs incroyablement fins, au contact électrisant. Elle avait longuement caressé Malko, pour lui offrir comme viatique sa croupe fabuleuse, face à un miroir tacheté par les ans, tandis qu'elle le suppliait de la prendre encore plus fort. Lorsqu'il avait explosé dans ses reins, il avait cru mourir de plaisir. Le temps ne semblait pas avoir de prise sur le corps magnifique de la comtesse Alexandra. Tandis qu'il la besognait, debout, appuyée au mur, les mains crochées dans ses hanches, dans le hall du château de Liezen, sa robe de soie à ses pieds, elle s'était retournée pour dire d'une voix rauque :

— Je serai toujours ta femelle.

A peine étaient-ils rentrés de Vienne où ils avaient dîné, qu'elle s'était agenouillée sans un mot sur le dallage de l'entrée et l'avait pris dans sa bouche, interrompant parfois sa fellation pour lever les yeux et murmurer :

— J'aime te le faire à genoux.

C'est lui qui l'avait relevée pour la plaquer contre le mur et lui infliger le viol qu'elle attendait.

Le colonel Viktor Leonid Indusk, rezident du KGB à Stockholm, était un pur produit des kolkhoses ukrainiens. Un bon mètre quatre-vingt-dix, une carrure de boxeur et des mains énormes qui pouvaient sans effort étrangler un homme en quelques secondes.

Les rares fois où il endossait son uniforme aux épaulettes vertes, il dominait tous les autres officiers du KGB d'une tête et semblait boudiné. Mais ce n'était pas pour ses qualités physiques qu'on l'avait assigné à Stockholm où il régnait sur quatre-vingt-dix officiers traitants et informateurs. D'origine estonienne par sa mère, il parlait la langue et avait appris le suédois.

Sa secrétaire frappa à la porte et déposa sur son bureau un télex tout juste déchiffré.

— Cela vient d'arriver à la Referentura, annonça-t-elle.

La Referentura (1) était la pièce la plus protégée

(1) Section transmission.

de la Rezidentura qui occupait tout le troisième étage de l'ambassade d'Union Soviétique à Stockholm, dans le quartier de Marienberg.

Le colonel Indusk regarda le message avec respect. Il venait de son supérieur, le général Boris Sakharov, qui dirigeait le Premier Département du Premier Directorate. Le général coordonnait toutes les actions destinées à récupérer le défecteur américain, grâce à sa victoire bureaucratique sur les gens du Département S. Ce qui signifiait qu'en cas de succès, le colonel Indusk, qui se trouvait depuis trois ans à Stockholm, pourrait être inscrit sur la liste d'aptitude au rang de général, pour postuler ensuite à une grande Rezidentura, comme Paris, Bruxelles ou Genève.

Seulement, s'il échouait, c'était le retour en Union Soviétique et la mutation probable au Département des gardes-frontière du côté d'Oulan Bator, en Mongolie Extérieure... Viktor Indusk en avait des frissons. Il lut le câble lui réclamant des nouvelles de l'opération « Znanié » (1). Car le temps pressait. L'hiver arrivait et le plan du Premier Directorate ne pouvait être réalisé si la température descendait trop.

Nouveau coup à la porte. La même secrétaire apportait cette fois une enveloppe scellée, portant la mention « Colonel Viktor Indusk. Personnel. A n'ouvrir que par le destinataire. » Elle était scotchée par prudence. Le Soviétique l'ouvrit avec un long coupe-papier portant en surimpression dorée l'effigie de Staline. Un cadeau de son ancien supérieur.

C'était la confirmation, par un de ses informateurs au sein de la Säpo, de l'arrivée d'un agent de la CIA chargé de la même affaire que lui... Elément qu'il connaissait déjà par les écoutes. Cette fois, l'agent était au contact direct de l'objectif.

(1) Savoir.

Le colonel Indusk alluma une cigarette qui paraissait minuscule entre ses doigts énormes et se leva, s'approchant de la baie en plexiglas blindé. Elle donnait sur le building hyper-moderne de l'*Expressen*. Mais la pluie s'était mise à tomber, si dense qu'on distinguait à peine les lettres rouges de la grande enseigne qui barrait la façade. Le colonel du KGB demeura un long moment à contempler le brouillard, puis retourna s'asseoir pour rédiger un câble à l'intention du Département S. Plus précisément du major Urmas Orek, basé à Tallin, son responsable en Estonie. C'était une procédure un peu lourde, mais destinée à le protéger. Si les Suédois s'apercevaient du rôle qu'il jouait dans l'histoire Updike, ils l'expulseraient immédiatement.

Lui aussi avait été convoqué à la Säpo et avait juré que l'Union Soviétique ne tenterait rien pour récupérer Lee Updike. Il avait même précisé qu'aucun diplomate soviétique n'aurait de contact avec Lee Edward Updike sinon avec l'accord du ministère des Affaires Etrangères suédois. Ses interlocuteurs avaient fait semblant de le croire et ne l'avaient plus relancé.

Pourvu que ce calme dure jusqu'à la fin de l'opération Znanié...

Le texte achevé, il rangea ses affaires, ferma son attaché-case et se dirigea vers la Referentura. Il sonna et l'officier de permanence ouvrit aussitôt le battant d'acier épais de quinze centimètres. On ne pouvait y pénétrer de l'extérieur, et quelqu'un y veillait en permanence.

— Envoie ça tout de suite, demanda Indusk.

Il ouvrit son casier et y déposa son carnet aux pages numérotées où il notait toutes ses activités, ses contacts, les véritables noms de ses informateurs, les primes qu'il versait, ses codes, et referma en scellant le tiroir de son sceau personnel, grand comme une pièce d'un rouble. Puis, il ressortit après avoir jeté un regard distrait au tableau répertoriant les immatriculations des véhicules de la Säpo afin d'aider à déjouer les filatures. Il avait encore toutes ses courses de Noël à faire, pour lui, et ses amis de Moscou, qui lui avaient commandé les derniers magnétoscopes Samsung qui se vendaient en Suède pour moins de deux mille couronnes.

Pour l'instant, il ne voyait pas la nécessité d'éliminer l'agent de la CIA. Cependant, si les événements évoluaient négativement, il fallait que le major Orek ait mis en place ses gens. La liquidation physique d'un homologue ne s'improvisait pas.

Les ordres de la place Dzerjinsky étaient de garder un profil bas.

Si la continuation de Znanié dans des conditions de sécurité exigeaient une *Mokrié Diéla* (1), seul le général Boris Sakharov était habilité à donner le feu vert.

(1) Littéralement « Affaire mouillée ». Exécution.

CHAPITRE IV

Malko enrageait. Il n'avait pas réussi, depuis le début de la soirée, à échanger trois mots intéressants avec Lee Updike.

Ingrid Stor s'était un peu radoucie, peut-être grâce à l'atmosphère luxueuse de l'*Alexandra*, le restaurant le plus « in » de Stockholm, au rez-de-chaussée de l'hôtel *Plaza*, fréquenté principalement par les « soffers (1) ». Les box en U étaient confortables, les femmes jolies et l'ambiance feutrée. La musique de la discothèque du bas, diffusée en sourdine, ajoutait au charme des lieux. Hélas, Lee Updike ne pensait visiblement qu'à une chose : se retrouver dans un lit avec Ingrid Stor...

Juri Maran acheva de gratter les coquilles de sa douzaine d'huîtres, luxe inouï en Suède où elles se vendaient au poids du caviar. Naïvement ravi.

Malko essaya de se consoler en se disant que ce genre de manip ne se nouait pas en quelques heures... Mais c'était cher payer pour être presque à coup sûr identifié par ses adversaires, via la sculpturale Ingrid Stor dont la cuisse n'avait cessé d'être appuyée à la sienne, en dépit des agaceries de Lee Updike.

Euphorique après ses six bières, Juri, qui avait

(1) Nomenklatura socialiste.

enterré la hache de guerre avec Ingrid, rafla les morceaux du sucre pour les enfourner dans la poche et proposa :

— On va danser en bas ?

Lee Updike sembla rentrer dans sa coquille, mais Ingrid approuva avec enthousiasme.

— Très bonne idée, je n'ai pas dansé depuis des mois ! Et je n'ai pas les moyens d'aller dans des endroits aussi chers...

C'est elle qui entraîna Lee Updike par la main.

Malko, un peu étonné par le manège de l'Estonien, demanda :

— Qu'est-ce que vous faites de ce sucre ? Vous avez un chien ?

Juri éclata de rire :

— Non, c'est pour moi ! Quand il fait froid, j'en suce, cela donne de la force. Et en Estonie, il n'y en a jamais. Alors j'ai gardé l'habitude d'en prendre quand j'en vois...

En bas de l'escalier en colimaçon menant au sous-sol, se trouvait une discothèque semblable à des milliers d'autres avec beaucoup de jeunes et un éclairage plus que tamisé. Ingrid se lança tout de suite sur la piste, collée à Lee Updike comme un timbre-poste. Elle dansait presque sur place, se contentant de faire onduler sa croupe de rêve et de frotter ses seins en poire contre le physicien américain. Elle dépassait d'une bonne tête la plupart des minets s'agitant autour d'elle. Quant à Lee Updike, incrusté à elle comme un bigorneau à son rocher, il fut visiblement très vite au bord de l'orgasme.

Malko croisa le regard ironique de Natalja, assise en face de lui, occupée à faire tourner les glaçons de son verre de Cointreau.

— Vous dansez ? demanda-t-il, laissant Juri se colleter avec sa septième bière.

Elle se leva sans répondre et dans l'ombre s'appuya à lui avec souplesse. Ce n'était pas aussi spectaculaire qu'Ingrid, mais tout aussi efficace. Le corps souple de la jeune Estonienne épousait étroitement le sien, mais son visage continuait à arborer la même expression angélique.

— Il y a longtemps que vous connaissez Lee Updike ? demanda Malko.

— Une semaine. Nous avons participé ensemble à une émission de radio organisée par Ingrid Stor. C'est un garçon adorable. Il a été très éprouvé par la mort de son amie.

Malko glissa un œil vers le jeune physicien enroulé autour de sa Walkyrie blonde. Il avait vite oublié. Natalja eut un sourire plein d'indulgence.

— Oh, il est très perdu, sans ami. Et Ingrid est une femme très énergique. Elle l'a pris sous sa protection.

Pour l'instant, Ingrid Stor se frottait à Lee Updike comme une chatte en chaleur, sous les regards envieux des minets suédois.

La musique s'interrompit et tous se retrouvèrent à la table. Lee Updike était au bord de l'indécence... A peine assise, Ingrid se colla contre lui et fit disparaître sa main sous la table avec un air gourmand. Lorsqu'il croisa le regard de Natalja, Lee Updike se troubla comme un enfant pris en faute. Malko, qui l'observait, jugea son attitude pour le moins ambiguë. Il paraissait en pleine passion avec Ingrid, mais Natalja semblait le fasciner.

— Bon, on va se coucher ! lança Ingrid à la cantonade.

Malko attrapa Lee Updike avant qu'il ne plonge dans le stupre.

— Je peux vous revoir ?

Ingrid lui jeta un regard noir.

— Vous n'allez pas l'ennuyer ! Il a besoin de calme.

Lee Updike, euphorique et pressé de se débarrasser de Malko, affirma aussitôt :

— Je serai heureux de vous revoir. Je suis à l'hôtel *Lord Nelson*, Västerlånggatan 22, dans Gamla Stan. Appelez-moi demain.

Déjà sa cavale le poussait dans l'escalier, les abandonnant tous les trois.

Juri, les yeux rougis par l'alcool, explosa dès qu'ils furent en haut des marches.

— Vous avez vu cette salope ! Elle le traite comme un enfant.

— Il a l'air d'aimer cela, remarqua Malko.

L'autre marmonna des injures incompréhensibles en estonien... Ils sortirent dans Regeringsgatan, en direction de l'hôtel *Karelia*. Une pluie fine et glaciale avait vidé les rues. Juri Maran tendit la main à Malko.

— Je vous quitte là. Mon métro est presque en face. Je vous appellerai demain matin.

Natalja prit congé à son tour, embrassant Malko sur les deux joues.

— Je vais essayer de faire démarrer ma voiture ! A bientôt.

Elle se glissa au volant d'une vieille Volskwagen verte garée non loin de la Volvo 240 louée par Malko.

Celui-ci, de plus en plus frustré, monta dans sa Volvo pour ne pas être trempé. C'était vraiment la soirée-fiasco... Il observa Natalja. La vieille Volkswagen couinait désespérément, sans donner aucun signe de vouloir démarrer. Il ressortit pour rejoindre la comédienne.

— Je crois qu'elle ne partira pas.

Natalja eut un sourire fataliste.

— Ça lui arrive souvent. Je vais prendre le métro.

— Je peux vous raccompagner, proposa Malko.

— Ça ne vous dérange pas ?

— Ne plaisantez pas.

Elle ferma sa voiture et s'installa dans la Volvo flambant neuve.

— Il y a encore un endroit pour prendre un verre ? demanda Malko. Je n'ai pas envie de me coucher tout de suite.

Sa Seiko-Quartz indiquait minuit moins dix.

— Chez *Riche*, à côté du Dramatiska Teatern (1). Mais je ne resterai pas longtemps.

***

La brasserie *Riche* était bondée, comme les rares endroits de Stockholm fermant après onze heures du soir. Malko et Natalja avaient dû s'installer au bar, à côté d'un groupe de jeunes qui se déchaînaient avec des hurlements sauvages chaque fois que leur numéro sortait à la roulette...

En dépit de ses promesses, Natalja Kippar en était à son quatrième Cointreau. Ses yeux noirs en avaient perdu leur triste expression vide.

— Il faut que je rentre, soupira-t-elle. J'ai un rôle à apprendre pour demain.

Malko en savait maintenant un peu plus sur elle. Après avoir fui l'Estonie par un mariage de complaisance avec un Finlandais, elle s'était fait engager pour une tournée au Caire où elle s'était retrouvée danseuse du ventre et probablement plus. Ensuite, elle avait traîné à travers l'Europe et le Canada, chantant, jouant la comédie, faisant des petits boulots... Malko s'étonna qu'avec sa beauté, elle en soit encore là, avec son pauvre manteau et sa casquette violette.

— Vous n'avez pas rencontré d'homme qui vous plaise ? demanda-t-il.

— Qui veuille m'acheter, oui, bien sûr, mais je ne veux pas, fit Natalja. Le gouvernement suédois me donne une allocation et avec ce que je fais, je parviens à vivre. Un jour, cela changera. Il paraît

(1) Théâtre d'art dramatique.

qu'Ingmar Bergman doit revenir. Je l'ai rencontré une fois, il voulait me faire tourner. A propos, je dois vous remercier. Je n'avais pas mangé d'huîtres depuis des mois...

Elle se leva.

— Allons-y ! J'habite Riddargatan à côté de l'église estonienne, dit-elle. Ce n'est pas loin.

Effectivement, cinq minutes plus tard, ils stoppaient devant un immeuble cossu du quartier des ambassades. Natalja descendit et manqua s'étaler. Le sol glissant et le Cointreau. Malko lui prit le bras, tandis qu'elle riait à gorge déployée et ils attaquèrent les trois étages sans ascenseur.

Elle riait encore lorsqu'elle mit la clef dans la serrure de son appartement.

— Je vous offre le dernier verre ! fit-elle.

Son studio était agencé froidement à la suédoise, mais avec des meubles très bas qui, eux, évoquaient l'Orient, comme les lumières tamisées. Elle alluma une mini-chaîne Akaï, et le rejoignit avec une bouteille de Cointreau presque vide et deux verres.

— C'est tout ce qui me reste ! dit-elle. J'adore. C'est fort et doux à la fois.

Elle remplit deux verres de glaçons, y versa le Cointreau et ils trinquèrent. Ils s'installèrent sur le petit divan bas, seul siège confortable. Natalja ferma les yeux, écoutant la musique. Malko observait son corps mince, mis en valeur par la combinaison de lastex en se demandant s'il n'allait pas avoir une compensation à cette soirée ratée.

Il se pencha et l'embrassa, très légèrement. Natalja lui rendit son baiser, jouant d'une petite langue aiguë, sans lâcher son verre de Cointreau. Mais lorsqu'il prit le zip de la combinaison et le fit glisser, révélant presque entièrement deux seins ronds, Natalja ouvrit les yeux et l'arrêta.

— Je ne veux pas faire l'amour avec vous, dit-elle d'une voix douce.

Elle n'avait pas haussé le ton. Il lui jeta un regard interrogateur et elle sourit.

— C'est vrai, je ne devrais pas flirter avec vous. Mais j'ai un peu bu, vous me plaisez et Juri m'a parlé de ce que vous faisiez... J'aime les gens qui vivent dans le danger.

Malko maudit Juri et ses indiscrétions. Bientôt, il n'aurait plus qu'à envoyer un faire-part au KGB.

Se disant qu'une femme commence toujours par dire « non », il prit le verre de Cointreau des doigts de Natalja, le posa à terre et l'embrassa de nouveau, glissant une main autour de sa taille.

En dépit de sa réticence verbale, elle lui rendit son baiser et son mont de Vénus vint se nicher contre son ventre, l'embrasant encore plus. Puis, de nouveau, elle se détacha avec un petit soupir.

— Arrêtez ! Je ne veux pas...

— Vous êtes amoureuse ?

Elle secoua la tête.

— Non.

— Pourtant, vous semblez être attirée par Lee Updike.

Natalja vida son verre d'un coup. Visiblement irritée.

— Non, mais cela m'agace de le voir entre les mains d'Ingrid. Elle lui veut du mal, fit Natalja. C'est une femme dangereuse, fanatique. Elle passe son temps à programmer à la radio des émissions sur les terroristes. On dirait qu'elle regrette de ne pas poser de bombes elle-même.

Ils étaient toujours corps à corps comme si Natalja se dédoublait. Tandis qu'elle parlait, son corps continuait à se presser contre Malko, dont le cerveau s'était mis à tourner à cent mille tours.

Natalja était peut-être l'impossible solution que cherchait la CIA au cas Updike. Elle brisa le silence.

— Vous devez me prendre pour une allumeuse...

C'était presque une invite. Malko n'hésita pas,

tirant d'un geste décidé sur le zip de la combinaison de lastex jusqu'au ventre. Il libéra deux seins ronds sur lesquels il se pencha aussitôt. Après avoir tenté mollement de le repousser, Natalja s'abandonna. Son ventre roulait doucement contre le sien et Malko sentit son érection grandir. Ils flirtèrent ainsi un long moment. Ses seins offerts, les cheveux défaits, Natalja était suprêmement excitante.

Il voulut la débarrasser de la combinaison, mais cette fois, elle ne le laissa pas faire.

— Arrêtez !

En écartant sa main, elle ne put éviter de frôler son sexe. Elle recula d'abord comme si elle s'était brûlée, puis ses doigts se posèrent sur le tissu tendu. Son regard se troubla, et d'un geste inattendu, elle fit descendre sa fermeture éclair. Ses longs doigts se refermèrent aussitôt sur son membre frémissant et, en quelques coups de poignet habiles, elle le fit exploser. Contemplant ensuite fixement la sève qui sortait de lui.

Cela avait été si rapide qu'il crut presque avoir rêvé. Natalja le regardait avec un drôle de sourire.

— J'avais physiquement très envie de vous, soupira-t-elle. Il y a longtemps que je n'ai pas fait l'amour.

— Alors pourquoi ?

— Je ne vous connais pas.

Sa respiration se calma, elle remonta son zip et Malko se rajusta. Le visage de Natalja Kippar était redevenu lisse et impénétrable, avec ses yeux qui semblaient morts et vides.

— Parlez-moi encore de vous, demanda Malko. Comment êtes-vous arrivée ici ?

Elle eut un sourire sans joie.

— Avec un peu de chance et beaucoup d'efforts. J'ai toujours voulu être artiste. A Tartu, en Estonie, je chantais dans un night-club. C'est là que j'ai rencontré un Finlandais qui est tombé amoureux de moi. Il m'a offert de m'épouser. J'ai fini par accepter, mais je n'étais pas très amoureuse. Seulement, cela m'a permis de sortir d'Estonie, après des mois de bagarre avec les bureaucrates.

— Et ensuite ?

— Nous nous sommes séparés très vite. Il est resté en Finlande et moi je me suis mise à voyager pour des tournées et puis je me suis installée ici, à Stockholm.

Natalja Kippar termina son Cointreau, bâilla, et dit avec un sourire d'excuse :

— J'ai sommeil...

Malko, désarçonné par cette étrange réaction, n'insista pas. Décidément, ce soir-là, rien ne s'était passé comme prévu. Sur le pas de la porte, il lui demanda :

— Voulez-vous que je vous emmène à votre voiture, demain ?

— Le matin, je travaille ici, dit-elle. Je peux y aller à pied, ce n'est pas loin, mais téléphonez-moi en début d'après-midi. Avant qu'il ne fasse nuit.

Le soleil se couchait à trois heures...

***

Kevin Hudson s'empiffrait de charcuterie comme un vrai Suédois. La « breakfast-room » du *Grand Hôtel* croulait sous les victuailles. De l'autre côté des baies vitrées, un vent violent balançait les vapeurs à l'ancre.

L'Américain fit passer une saucisse noyée de sauce tomate avec une énorme lampée de café fadasse et lança, renfrogné :

— C'est bien ce que je pensais ! Ces enfoirés de Suédois vous ont repéré et m'ont fait tout un cirque. Il a fallu que je me roule par terre pour qu'ils n'avertissent pas Lee Updike que vous étiez de la Maison.

— Si ça continue, il le saura vite, remarqua Malko.

Il mit au courant l'Américain des indiscrétions de Juri Maran. Le chef de poste s'assombrit encore plus.

— Ces Estoniens sont impossibles ! dit-il. Ils jouent aux boys-scouts et, entre eux, se racontent tout. J'espère que Natalja ne va pas répéter ça à Lee Updike.

— Prions, dit sobrement Malko. Mais je crois que nous allons avoir besoin de nos deux Estoniens.

Il entreprit de raconter son étrange soirée à Kevin Hudson, concluant :

— J'ai eu l'impression que Lee Updike n'est pas indifférent au charme de Natalja. Celle-ci déteste cordialement Ingrid Stor. Elle serait ravie de lui piquer Lee. Si on arrivait à la manipuler convenablement, nous pourrions peut-être, grâce à elle, attirer Lee Updike sous des cieux plus cléments.

Kevin Hudson en oublia ses œufs brouillés.

— Superbe idée ! Vous vous en chargez ?

— Je vais essayer, dit modestement Malko. Pendant ce temps-là, criblez-la pour plus de sûreté.

— Bien sûr, approuva Kevin Hudson. Il faut lui offrir de l'argent.

— Et un passeport américain, suggéra Malko. C'est généralement ce que les réfugiés apprécient le plus. Et qui ne coûte rien.

Kevin Hudson fit la grimace.

— On voit bien que ce n'est pas vous qui allez l'arracher au Département de l'Immigration... Enfin, dites-moi tout ce que vous avez appris sur elle.

Il prit des notes et conclut :

— Je vais demander à la Säpo et à nos différentes antennes des villes où elle a travaillé. Et son mari finlandais, vous savez son nom ?

— Aucune idée.

— Je vais câbler à notre station d'Helsinki.

— Moi, je vais en parler à Juri Maran. A propos, aujourd'hui, j'espère interviewer Lee Updike.

— Que le diable l'emporte, fit sombrement Kevin Hudson. Il n'aurait pas pu aller ailleurs. J'étais si tranquille...

— Retrouvons-nous demain ici, suggéra Malko. C'est plus sûr que le téléphone.

Il remonta dans sa chambre juste à temps pour recevoir le coup de fil de Juri qui, prudent, téléphonait d'une cabine.

— J'ai besoin de vous voir, dit Malko.

— Impossible avant la fin de la journée, répliqua l'Estonien. Voulez-vous au *Café Repert* vers six heures. C'est sur Klarabergsgatan, au coin de Nils Ferlins Torg.

Malko appela alors Lee Updike. L'Américain mit un temps fou à répondre, la voix pâteuse. Lorsque Malko lui remémora son intention de l'interviewer, il coupa court aussitôt.

— Pas aujourd'hui, je ne suis pas en forme. Rappelez-moi demain.

Ça commençait bien.

CHAPITRE V

Juri griffonnait des notes sur un carnet à une petite table, à l'écart. Le *Café Repert* regorgeait de moustachus patibulaires et de Suédoises sur le retour. Le jeune Estonien se pencha vers Malko.

— Ici, c'est le centre de tous les trafics, dit-il à voix basse. On trouve de tout, même de la drogue. Et des femmes aussi... Pourquoi désiriez-vous me voir ?

— Je voulais quelques informations sur votre amie Natalja, dit Malko.

Juri lui jeta un regard étonné.

— Sur Natalja ? Mais pourquoi ?

— J'aurai peut-être besoin d'elle, expliqua Malko. Avez-vous connu son mari ?

— Le Finlandais ? Non.

— Vous savez son nom ?

— Pas la moindre idée. Mais je dois pouvoir le retrouver par des amis à Helsinki. C'est tout ?

— J'ai besoin de ces informations rapidement.

— Je m'en occupe tout de suite, promit Juri. Rendez-vous demain, ici, à trois heures.

Il eut du mal à refermer son attaché-case bourré de papiers et ils sortirent dans Klarabergsgatan, balayée d'un vent sibérien, qui ne parut pas incommoder Juri Maran, toujours sans manteau. Sa peau devait être en thermolactyl...

*
**

Malko perdait la notion du temps avec ces quelques heures de lumière par jour. Il prenait son breakfast au *Grand Hôtel* et il avait l'impression de dîner. La luminosité était si faible qu'à neuf heures du matin, on se croyait déjà au crépuscule... La journée de la veille s'était étirée interminablement. Après son rendez-vous avec Juri Maran, il avait un peu marché dans les rues piétonnières du centre, puis avait regagné l'hôtel.

Au point mort.

Il hésitait à retéléphoner à Lee Updike. Le mieux était encore de le violer un peu... Il se sentait incapable de rester à tourner en rond jusqu'à son rendez-vous avec Juri Maran, à trois heures.

*
**

Le colonel Viktor Indusk lisait pensivement le message qu'un de ses innombrables courriers venait de déposer dans une des « boîtes aux lettres mortes » relevées tous les jours par un homme de la Referentura.

La belle ordonnance de sa « manip » se déréglait. Et ce qu'il aurait voulu éviter devenait indispensable. Il réfléchit un long moment, étudiant tous les paramètres et conclut qu'il n'avait pas le choix. Ecrasant sa cigarette, il se mit à rédiger un message destiné à être transmis en priorité absolue puis sonna sa secrétaire.

— Mariana, dit-il, porte ça tout de suite à la Referentura. Veille à ce que le major Orek l'ait avant la fin de la matinée.

*
**

Un soldat frigorifié veillait inutilement dans la calme Västerlånggatan, devant la maison où avait habité Olaf Palme, le premier ministre suédois assassiné en plein Stockholm quelques mois plus tôt, sans qu'on ait élucidé le crime. La CIA avait son idée dessus, mais ce n'était pas diplomatique de la communiquer aux Suédois.

Malko poussa la porte de l'hôtel *Lord Nelson*, à quelques mètres de la résidence d'Olaf Palme. La réception minuscule était occupée par une fille emmitouflée et souriante. Trois étages et probablement une douzaine de chambres. Malko demanda Lee Updike et on le lui passa au téléphone.

— Je suis en bas, annonça-t-il.

— Je vous avais dit de me rappeler ! protesta Updike.

— Il faut que je vous voie, insista Malko. Je ne peux pas m'éterniser à Stockholm.

— Montez, finit par dire l'Américain. C'est au second, chambre 24.

Sa voix était plate, déprimée.

Malko le trouva devant sa porte ouverte. Ses yeux bleu pâle semblaient encore plus délavés et il flottait dans un gros pull de laine, pieds nus. Il le fit entrer dans une chambre petite et propre, avec des piles de livres, de manuscrits, de documents scotchés au mur. Une chambre d'étudiant. Un seul fauteuil encombré de revues qu'il posa à terre.

— Un café ?

Le café en poudre était immonde. Lee Updike tourna sa cuillère en fixant Malko d'un air absent.

— Vous êtes vraiment journaliste ?

Malko garda son calme.

— Bien sûr, dit-il. Pourquoi ?

Le physicien américain eut un haussement d'épaules désabusé.

— Oh, excusez-moi ! Par moments, je deviens paranoïaque. Rien ne s'est passé comme je l'escomptais depuis mon départ. J'ai l'impression d'être traqué par des gens que je ne connais même pas. Mes amis suédois me mettent en garde : ils craignent que les Américains ne tentent de m'enlever. Ils ont essayé de me faire croire que les Russes avaient assassiné Leslie. Je me demande parfois si ce n'est pas eux...

— Je croyais que c'était un accident, objecta Malko.

— Moi aussi, soupira Lee, je le croyais, mais maintenant, je ne suis plus certain de rien...

— Pourquoi les Américains auraient commis ce meurtre ?

Lee Updike leva sur lui ses yeux bleus pleins d'innocence.

— Pour m'affaiblir, me forcer à rentrer en Amérique.

Pour un naïf, il n'était pas si demeuré. Malko sauta sur l'occasion.

— Et pourquoi ne rentrez-vous pas ?

Lee Updike le fixa comme s'il avait proféré une obscénité.

— Mais si je rentre, ils me mettront en prison pour des années ! Malgré leurs promesses.

— Pourquoi avez-vous écrit ces articles ?

Lee Updike but une gorgée de son infect café avant de répondre d'un ton solennel :

— Il fallait que je soulage ma conscience. J'ai réalisé que j'étais en train de commencer la troisième guerre mondiale. Quelque chose de terrifiant. Parce que les Soviétiques ne peuvent pas permettre aux USA de mettre au point *Starwar.* C'est un trop grand risque pour eux. Ils sont donc obligés de frapper avant. Pendant qu'ils sont encore à égalité... Je crois qu'Andréï Sakharov a suivi le même chemin que moi, ajouta-t-il, amèrement. Il y a un moment où on ne peut plus se contenter de la satisfaction de réussir quelque chose d'impossible. Il faut penser aux conséquences...

— Vous vous rendez compte que ce que vous savez intéresse les Soviétiques ? demanda Malko.

Lee Updike eut un pâle sourire.

— Evidemment, mais je ne veux pas passer d'un esclavage à un autre... Plusieurs fois déjà, Ingrid m'a présenté à des amis à elle qui m'ont fait des appels discrets, m'ont promis beaucoup d'argent, des honneurs, je ne sais pas... Mais j'ai refusé.

— Qu'allez-vous faire maintenant ? demanda Malko. Vous ne pouvez pas rester dans cet hôtel indéfiniment.

— Je vais peut-être vivre avec Ingrid, avança timidement le jeune Américain. C'est une femme très forte et très belle. Mais...

De nouveau, il semblait totalement perturbé.

— Mais quoi ?

Il baissa les yeux.

— Je ne sais pas pourquoi je vous parle de cela. Elle est très dure avec moi. Par exemple, l'autre nuit, je suis allé chez elle, mais elle n'a pas voulu que, enfin vous me comprenez...

— Pourquoi ? interrogea Malko sincèrement étonné.

— Elle était furieuse, à cause de Natalja, la petite Estonienne... Elle déteste cette pauvre fille. Elle prétend que c'est une putain : moi, je ne crois pas, elle me ressemble, elle est paumée...

Malko buvait du petit lait.

— Eh bien, si cela ne marche pas avec Ingrid, fit-il, vous irez avec Natalja.

— Oui, bien sûr, fit Updike, l'air absent. Mais je suis très attaché à Ingrid.

Et un point pour le KGB...

Il se tut. Dans le calme absolu de la rue piétonnière, deux étages plus bas, un couple se disputait.

Malko rompit le silence qui s'était établi pour

demander à Lee Updike de lui raconter sa fuite des Etats-Unis. Il fallait assumer son rôle de journaliste... Une heure plus tard, il ne savait rien de plus que ce qui avait déjà été publié dans tous les journaux. Le jeune Américain bâilla et regarda sa montre.

— Je crois que je vais me remettre à travailler. Je prépare un article.

Malko se leva.

— Je vous invite à déjeuner demain, proposa-t-il. Au *Grand Hôtel.* Pour continuer mon interview.

— Si vous voulez, fit Lee Updike sans enthousiasme excessif.

Il le regarda descendre les marches. Malko se retourna et lui sourit. Il comprenait mieux l'angoisse de la CIA. Le physicien américain était à la dérive. Si le KGB avait réellement liquidé sa maîtresse, il avait tapé dans le mille pour le destabiliser.

***

Malko repartit à pied, dans les calmes rues piétonnières de Gamla Stan, la vieille cité dominée par le château royal que le roi avait fui à cause de la pollution.

La bise était frigorifiante et il appréciait sa pelisse doublée de vison.

Il réfléchissait au destin capricieux qui avait poussé tant de gens à venir dans cette ville sinistre, froide et plongée dans la nuit la moitié de l'année. Où tout semblait si propre, si convenable.

Juri Maran, l'activiste sans espoir.

Natalja Kippar, trop belle et perdue, avec son halo de mystère.

Lee Updike, le rêveur écrasé par ce qu'il savait, qui ne pourrait jamais trouver la paix, mais qui ne s'en doutait pas encore.

Plus tous ceux qui grouillaient dans le crépuscule de Stockholm, robots manipulés, plongés dans des machinations qui les dépassaient. Comme la brutalité ouverte du Panama était loin (1). Ingrid Stor était-elle réellement amoureuse de l'Américain, s'amusait-elle ou jouait-elle un jeu plus compliqué, comme le pensait Kevin Hudson ? A moins que ce ne soit les trois à la fois...

La journaliste suédoise, au charme rugueux, était difficile à cerner avec ce feu intérieur qui brûlait dans ses yeux bleus.

Malko se demanda qui était le chef d'orchestre de l'autre côté. L'homme qui avait la même mission que lui.

Malko s'apprêtait à descendre déjeuner seul au restaurant français du *Grand Hôtel*, afin de profiter des derniers moments de clarté quand le téléphone sonna. Il avait appelé Natalja, tombant sur son répondeur.

— Malko ?

C'était justement la voix soyeuse de Natalja Kippar. Il en éprouva un picotement agréable à l'épigastre.

— Comment allez-vous, Natalja ? Votre voiture est réparée ?

La jeune femme rit.

— Hélas non, et je ne sais pas quand je l'aurai...

— Voulez-vous que je vous emmène quelque part ?

— Merci, dit-elle, aujourd'hui, je vais seulement au marché et ce n'est pas loin. Non, je vous appelais pour vous inviter à une soirée théâtrale où je joue dans quinze jours, le 17 si vous êtes encore là. J'ai

(1) Voir SAS n° 85. *Embrouilles à Panama.*

essayé de joindre Juri aussi, mais il n'est pas chez lui.

— Je peux lui transmettre, dit Malko, je le vois tout à l'heure, au *Café Repert.* Mais avant, nous pouvons déjeuner ensemble... Je viens vous chercher.

Il sentit que son hésitation était de pure forme.

— Laissez-moi au moins le temps de me préparer, dit-elle. Dans un quart d'heure en bas de chez moi ?

Malko raccrocha, ravi. Il allait faire avancer un autre de ses pions. Son entrevue avec Lee Updike lui avait déjà permis de pénétrer un peu dans l'intimité du jeune Américain. La « manip » était un travail de patience.

Un vent mordant le cueillit à la sortie du *Grand Hôtel.* Ses rafales hérissaient l'eau du port. S'étant garé à une place réservée aux invalides, il découvrit sous l'essuie-glace de la Volvo une contravention protégée d'un plastique. On était civique jusqu'au bout des ongles en Suède.

Natalja Kippar l'attendait sur le trottoir, engoncée dans une vieille fourrure mitée.

Le déjeuner n'avait absolument rien apporté à Malko, sinon la présence sensuelle de la jeune dissidente estonienne dont la silhouette avait profondément troublé les businessmen du solennel restaurant français du *Grand Hôtel.*

Pas un mot de Lee Updike.

Chaque fois que Malko avait tenté de mettre la conversation sur lui, Natalja l'avait soigneusement déviée... Par contre son regard, qui lui avait paru triste et vide, brillait d'une lueur de bon augure quand il croisait le sien... A peine eut-elle fini le flan qui ressemblait à du ciment qu'elle partit téléphoner.

— Ma voiture est prête, annonça-t-elle en revenant.

— Je vais vous accompagner au garage, proposa aussitôt Malko.

— C'est gentil, dit-elle. Cela vous ennuie de faire un crochet avant jusqu'à une épicerie estonienne où j'achète des produits de mon pays ?

Malko se laissa guider dans le dédale du centre de Stockholm avec ses énormes buildings commerciaux. Natalja le fit stopper au milieu de Klarabergsgatan et ils descendirent un escalier menant à une galerie commerciale en plein air. Malko se recroquevillait dans sa pelisse. Heureusement, ils descendirent encore d'un niveau, débouchant dans un mini-marché souterrain d'alimentation, avec des stands estoniens, bulgares, libanais, iraniens, kurdes, hongrois...

Natalja resta dix minutes à soupeser de la cochonaille à la boutique estonienne coincée entre un marchand de fromages libanais et un boucher bulgare...

Ensuite, Malko ramena Natalja à son garage dans le haut de Birger Jarlsgatan. Avant de descendre, Natalja dit :

— N'oubliez pas la soirée, pour le 17, dit-elle. Je vous dépose une invitation.

— J'espère que je vous reverrai d'ici là, dit Malko.

Sans la brusquer, il fallait qu'il la « tamponne » en douceur.

Elle eut un sourire énigmatique.

— Appelez-moi.

Quand il se pencha sur elle pour l'embrasser, elle se laissa faire et leurs langues s'entremêlèrent quelques instants. Natalja n'avait quand même pas oublié ce qui s'était passé deux jours plus tôt...

— Je vous invite à dîner demain soir, dit Malko.

*
**

Juri Maran était assis à la même table du *Café Repert*, l'air morose. Il accueillit Malko avec un sourire embarrassé.

— Je vous ai fait venir pour rien, annonça-t-il. Je n'ai pas encore retrouvé la trace du mari de Natalja. Les gens que je voulais joindre en Finlande n'étaient pas là. Demain, je saurai sûrement.

— Continuez, demanda Malko.

Avant d'engager Natalja dans la récupération de Lee, il voulait quand même vérifier son passé.

Le café était toujours aussi bondé et enfumé. Juri entreprit de faire à Malko un cours sur les méfaits du KGB en Estonie... Quand il eut terminé, la nuit était tombée totalement et il était trois heures et demie...

— Vous avez pu vous garer près d'ici ? demanda Juri.

— Non, dit Malko, je ne suis pas loin de l'hôtel *Karelia*.

— C'est près de mon métro, fit le jeune Estonien, je vous raccompagne.

Ils sortirent dans Klarabergsgatan ; déjà les queues s'allongeaient aux arrêts des bus. Les Suédois faisaient la journée continue.

Juri Maran marchait à grandes enjambées, balançant son attaché-case. Ils traversèrent Sergels Torg, gagnant Hamngatan, une petite rue calme qui coupait plus loin Kungsträdgårdsgatan descendant vers le port.

Ils avançaient en silence dans la rue déserte et sombre lorsque Malko entendit des pas derrière eux et se retourna.

Ce n'était qu'une femme emmitouflée dans un anorak avec un bonnet de laine enfoncé jusqu'aux yeux, une écharpe sur la bouche et un pantalon de ski. Tenue parfaitement normale pour la saison... Ce qui l'était moins, c'était le gros revolver qu'elle sortit de sa poche, au moment précis où Malko se retournait. Un « 357 Magnum », vraisemblablement. Surprise, la femme s'immobilisa, les jambes écartées, bien campée, sa main droite calée dans sa paume gauche, l'arme braquée dans leur direction. Comme dans un stand de tir.

CHAPITRE VI

Au moment où la femme appuyait sur la détente de son arme, Malko plongea de côté et Juri Maran, d'un geste instinctif, lança à toute volée son attaché-case dans sa direction.

Il frappa l'extrémité du canon à l'instant où la balle en jaillissait à 600 mètres-seconde. Le choc projeta l'attaché-case à plusieurs mètres. Déséquilibrée, la tueuse lâcha son arme et recula. Pendant une fraction de seconde, il ne se passa rien puis la femme esquissa le geste de se pencher pour récupérer son arme, se reprit et fit demi-tour, s'enfuyant dans Tunnelgatan.

Malko plongea, la ratant de quelques centimètres et fila à sa poursuite. Juri Maran voulut en faire autant, mais, dans sa hâte, dérapa sur une plaque de verglas, s'étala, perdant de précieuses secondes.

Tunnelgatan se terminait par un escalier menant à une rue en contrebas. Une silhouette surgit des marches au moment où Malko allait ceinturer la tueuse. Un homme en canadienne, un pistolet à la main, le visage barré d'une moustache noire. La femme cria quelque chose et l'inconnu brandit son arme, tirant en direction de Malko. Désarmé, celui-ci n'eut d'autre ressource que de s'abriter derrière une voiture en stationnement. Un second coup de feu claqua et un projectile fit voler en éclats le pare-brise du véhicule qui l'abritait. Il se retourna : Juri accourait à toutes jambes. Sortant de son abri, il regarda les marches. Personne.

— Attention, Juri ! cria-t-il. Il y a un homme avec elle !

Ils dévalèrent ensemble l'escalier et eurent le temps de voir deux silhouettes s'engouffrer dans une Mercedes sombre stationnée à l'entrée du tunnel passant sous Tunnelgatan.

Le véhicule, tous feux éteints, prit de la vitesse sans qu'il puisse même relever son immatriculation. Le temps de récupérer sa propre voiture, la Mercedes serait loin. Juri, essoufflé, les yeux hors de la tête, s'exclama :

— C'était une femme ! Une Arabe !

— J'ai vu, dit Malko.

Perplexe. Qui avait-on voulu tuer ? Juri Maran ou lui ?

Ils revinrent au lieu de l'attentat. Une Saab bleue et blanche de la police stationnait déjà à l'entrée de la rue piétonnière. Deux policiers inspectaient la neige. L'un d'eux avait ramassé, en le tenant par le canon, le « 357 Magnum » de la tueuse.

Juri courut vers son attaché-case qui s'était ouvert dans sa chute, répandant ses papiers un peu partout. On voyait nettement l'orifice d'entrée de la balle, mais pas sa sortie. Le projectile avait été arrêté par tous les papiers que Juri trimballait. Les deux policiers s'approchèrent.

— Que s'est-il passé ? demanda l'un d'eux.

— Quelqu'un a tiré un coup de feu sur nous, dit Malko en anglais.

Juri Maran intervint en suédois, volubile, et le policier l'écouta attentivement. Lorsqu'il eut terminé, il expliqua à Malko :

— Je lui ai dit de prévenir Mr Gustav Rehns, à la Säpo, il me connaît bien. On va là-bas.

Malko monta dans la voiture des policiers, se

demandant si son entrée en scène n'avait pas sérieusement dérangé les plans du KGB...

⁂

Hala Salameh, installée sur une banquette, face à la porte du café *Bel Ami* sur Sveavägen, contemplait ses cuisses, le regard vide, serrant entre ses doigts son verre d'aquavit. Elle en avait déjà vidé un. Elle n'était pas habituée à l'alcool, et ce remontant lui faisait tourner la tête, sans calmer les battements de son cœur. Ses mains tremblaient, et la rage lui fouaillait le ventre. Elle qui avait subi un entraînement intensif dans les camps d'Abu Nidal de la Bekaa, qui s'était livrée à plusieurs exécutions à Beyrouth et en Europe, elle s'était laissée avoir comme une débutante.

L'échec de sa mission d'élimination était déjà grave, mais il y avait pire. En ce moment, la police était en possession de l'arme dont elle s'était servie... Elle but un peu de son aquavit, hésitant sur la conduite à tenir. De toute façon, elle avait à rendre compte. Cette seule idée provoqua chez elle une envie pressante, et elle se précipita vers les toilettes. Comme dans tous les établissements publics de Stockholm, il y régnait une lumière blafarde et mauve produite par des ultraviolets, afin d'empêcher les drogués de se faire des piqûres avec précision... La glace lui renvoya une image livide, avec deux yeux noirs affolés...

Lorsqu'elle revint à sa table, sa décision était prise.

— L'addition !

Elle laissa trois couronnes de pourboire et sortit dans Sveavägen.

La Mercedes avec une plaque diplomatique

dont elle s'était servie avait été ramenée par ses complices à son propriétaire. Le représentant de l'OLP à Stockholm, un de ses épisodiques amants.

Elle fit quelques pas le cœur serré. Maintenant, elle était en danger : deux témoins pouvaient l'identifier.

Brutalement, cette ville lui parut hostile et dangereuse. Un taxi arrivait, elle le héla et demanda à se faire déposer au coin de Kungstensgatan et de la grande avenue Norrtullsgatan.

Elle avait préparé sa monnaie et descendit presque en voltige, partant en courant à travers le carrefour. A cet endroit des rails de tramways interdisaient la circulation des voitures qui devaient effectuer un grand détour pour rejoindre Norrtullsgatan. Elle se retourna, le carrefour franchi et n'aperçut rien de suspect. Les mains dans les poches, elle s'enfonça dans la pénombre de la grande avenue bordée de HLM, marchant rapidement.

Dix minutes plus tard, elle atteignit le bout de l'avenue. Au numéro 65, à côté de l'échoppe d'un encadreur, déjà fermée, se trouvait une petite boutique ne payant pas de mine avec une enseigne délavée : *Berjozka*.

Hala Salameh s'arrêta devant la vitrine où traînait un bric-à-brac peu attractif. Quelques « babas » russes de couleurs vives, des conserves soviétiques, des harengs dans des bocaux, des cadres en bois peint et quelques minuscules boîtes de caviar.

Après s'être assurée que la rue était déserte, la Palestinienne poussa la porte, déclenchant une sonnerie. Un homme mal rasé, flottant dans un chandail trop grand pour lui surgit de l'arrière-boutique et jeta à Hala Salameh un regard indifférent.

— Vous désirez ?

— Je voudrais voir Oleg. Je suis une amie de son oncle.

Le regard du boutiquier s'anima un peu, enveloppant Hala Salameh comme pour la soupeser, puis, il dit d'une voix égale :

— Je vais voir s'il est là. Attendez-moi.

Elle demeura en contemplation devant les boîtes de crabe, qui, à en juger par la couche de poussière qui les recouvrait ne devaient pas se vendre comme des petits pains. L'homme en chandail réapparut et lui fit un signe de tête.

— Venez.

Elle franchit le rideau. L'arrière-boutique était encombrée de cartons marqués d'inscriptions cyrilliques, de bocaux de cornichons. Un homme assez âgé, au visage gris et neutre avec un grand front dégarni leva les yeux d'une calculatrice pour inspecter Hala Salameh.

— Que voulez-vous ?

— Adnan m'a dit de venir vous voir si j'avais un problème.

L'autre ne broncha pas.

— Quel est votre problème ?

Hala Salameh essaya d'assurer sa voix :

— Exfiltration d'urgence.

« Oleg » l'examina des pieds à la tête, visiblement ennuyé.

— Je dois avertir l'autorité supérieure. Revenez demain matin.

— Cela prendra trop de temps, dit-elle. Je vous dis que c'est urgent.

Une voiture de police passa tout près, saturant la rue du gémissement sinistre de sa sirène et elle se sentit glacée. Celui qui se faisait appeler Oleg observa sa réaction. Elle avait vraiment très peur. Il n'aimait pas agir ainsi, sans recoupement, mais parfois il le fallait. De plus, la visiteuse avait donné les trois mots code : « Oleg », « l'oncle » et « Adnan », le chef du réseau dépendant du Département S. Il était couvert.

— Très bien, dit-il. Vous ressortez et vous faites

dix mètres à gauche. Il y a une cour avec un garage. Je vous retrouve là dans cinq minutes.

Elle retraversa la boutique déserte et sortit, fouettée par une rafale glaciale. Sale pays ! Pas même quatre heures et il faisait nuit noire. Pas étonnant que les Suédois se suicident... Elle pénétra sous le porche suivant, qui donnait sur une cour sombre. Oleg la rejoignit devant la porte d'un garage qu'il souleva, révélant une vieille Lada grise. Il referma le garage et fit basculer la porte du coffre.

— Ce n'est pas très confortable, dit-il, mais il y en a pour moins d'une heure.

Hala Salameh s'installa tant bien que mal sur des chiffons et il referma. Oleg se mit au volant et sortit ensuite de la cour, alla jusqu'au bout de Norrtullsgatan, tourna à gauche sur le périphérique encombré. Cinq cents mètres plus loin il reprit Solnavägen à droite, filant à travers la banlieue nord-ouest de Stockholm en direction de l'autoroute E3. Sans émotion. Il connaissait rarement les gens qu'il aidait à fuir, n'avait jamais été inquiété par la police et touchait chaque fois deux cents dollars qu'il faisait parvenir à sa famille restée à Leningrad.

Dire que Kevin Hudson était contrarié était une litote : il bouillait de fureur en descendant le perron monumental de l'immeuble de la préfecture de police dans Agnegatan, en compagnie de Malko et Juri Maran.

— Pourvu que ces salauds tiennent leur langue ! grommela le chef de poste de la CIA.

Il avait arraché au patron de la Säpo la promesse formelle que la police ne parlerait pas de la tentative de meurtre à la presse. Sinon, la couverture de Malko vis-à-vis de Lee Updike volait en éclats.

Le couvercle de la marmite tiendrait bien quelques semaines. Le ministère de la Défense suédoise était arrivé à dissimuler pendant six mois la disparition mystérieuse en mer Baltique d'un savant expérimentant un nouveau dispositif anti-sous-marin... Le bateau avait été retrouvé vide et son occupant volatilisé.

Une pluie diluvienne et glaciale les força à courir jusqu'à la Chrysler de l'Américain. L'entretien avec les policiers suédois avait été tendu... Visiblement, ils ne croyaient pas une seconde que Malko et Juri puissent ignorer pourquoi on avait tiré sur eux. Le numéro du Smith et Wesson « 357 Magnum » avait été meulé et il serait très difficile de retrouver sa provenance. Par contre, le projectile, découvert presque intact, avait déjà été envoyé à la balistique. Et le service de contre-espionnage travaillait au portrait robot de la tueuse.

— Vous pensez qu'ils vont retrouver cette femme ? demanda Malko.

— Quand vous lui avez donné son signalement, remarqua Kevin Hudson, j'ai eu l'impression que l'inspecteur Sven Hellsten réagissait.

— Je me demande si je vais continuer à jouer les chèvres dans ces conditions, fit Malko. Pour que les Soviétiques aient agi avec cette brutalité, il faut que nous les gênions beaucoup... Donc que leur opération soit dans sa phase ultime.

— Il paraît qu'Ingrid Stor part en vacances en Finlande à la fin de l'année, dit Juri.

— Non ! sursauta l'Américain. Et Lee Updike l'accompagne ?

Il avait mis en marche les essuie-glace et la pluie pianotait sur la carrosserie.

— Je n'en sais rien, avoua Juri.

— Nous avons intérêt à le découvrir, fit l'Américain. Et vite !

Un ange passa, les ailes recouvertes d'une fine pellicule de glace, des étoiles rouges sur les ailes.

Malko se dit que l'opération « Natalja » devenait de plus en plus urgente. Il était plus que temps d'arracher Lee Updike aux griffes d'Ingrid Stor. Mais il préférait ne pas en discuter en présence de Juri. De plus, il devait coûte que coûte découvrir la raison précise de la tentative de meurtre. C'était sûrement la clef du plan de ses adversaires. Et pour l'instant, il ne possédait aucun indice précis.

— Ramenez-nous, suggéra-t-il. On ne résoudra rien maintenant.

A cause de la circulation ralentie par la pluie, ils mirent près de vingt minutes à regagner le *Grand Hôtel*, où l'Américain les déposa.

Juri Maran fila aussitôt vers son métro et Malko alla récupérer sa voiture restée près de l'hôtel *Karelia*.

*
**

Une grande enseigne lumineuse désignait le building de Matreco Hendels, l'importateur de Lada pour toute la Suède.

Oleg pénétra dans le parking à six heures quarante-cinq exactement. La E3 avait été très encombrée et il avait roulé lentement, sous une pluie battante. Il se trouvait à quarante kilomètres au sud de Stockholm, juste après Södertälje, dans un parc industriel tout neuf, le long de l'autoroute.

Oleg, laissant à sa gauche le bâtiment abritant les services commerciaux, se dirigea vers un grand hall dont il poussa la porte.

Des dizaines d'ouvriers s'affairaient à mettre aux normes suédoises les véhicules nouvellement arrivés d'Union Soviétique. Les particuliers n'étaient pas admis ici.

Oleg s'approcha d'un mecano en train de revisser un pare-choc et demanda :

— Sergueï est là ?

— A la peinture.

Il gagna l'atelier au fond et trouva celui qu'il cherchait dans une impeccable combinaison blanche. Un Soviétique. Ils se serrèrent la main chaleureusement et celui qui se faisait appeler Oleg dit à voix haute :

— Je passais dans le coin. Il y a longtemps que j'ai besoin d'un réglage de carbu. Tu as le temps...

— Si tu me paies une vodka, fit Sergueï en riant. Amène ta voiture derrière, en face du monte-charge.

Oleg retraversa le hall et, quelques instants plus tard, la porte s'écarta sur un monte-charge qui engloutit sa vieille Lada jusqu'au second sous-sol. Là, les Suédois n'étaient pas admis et on révisait les voitures de l'ambassade soviétique. Oleg ouvrit le coffre sans un mot.

— C'est pour toi.

Il aida Hala Salameh à sortir de sa cachette et elle cligna des yeux devant le néon aveuglant. Son travail à lui était terminé...

Sergueï — un homme du KGB — se dirigea vers une cabine de verre et composa le numéro de l'ambassade soviétique. Dès qu'il obtint le standard, il annonça :

— Dites au camarade Vladimir que sa voiture est prête. Qu'il vienne la chercher immédiatement.

Il mena ensuite Hala Salameh dans un petit salon où l'on installait les chauffeurs tandis qu'on révisait les voitures et y fit entrer la Palestinienne. Il l'y enferma et donna une tape dans le dos de son copain.

— A bientôt, je passerai prendre du crabe chez toi, un de ces jours.

Il le regarda partir. Etonné. C'était rarissime qu'on lui amène ainsi quelqu'un sans l'avoir averti à l'avance. L'établissement était surveillé par la Säpo et ils avaient déjà eu des démêlés avec le contre-espionnage suédois. C'était imprudent de venir sans s'assurer que la voie était libre.

Il avait hâte que son chef, « Vladimir », c'est-à-dire le colonel Indusk, prenne livraison de son encombrant colis.

En plus, une étrangère...

CHAPITRE VII

Le colonel Viktor Indusk était tellement ivre de rage qu'il rata l'embranchement de l'E 3, se retrouva sur l'E 6, en sortit pour se perdre dans des routes secondaires, hurlant de fureur, seul à son volant. Cette opération Znanié qui avait si bien commencé était en train de déraper dangereusement...

Dès cinq heures de l'après-midi, il avait appris par une de ses sources dans la police suédoise que l'opération menée sur sa demande par le Département S — la double élimination physique d'un agent américain et d'un traître estonien — avait échoué. Dès que sa fureur était retombée, il avait mis en place une contre-mesure destinée, dans le pire des cas, à brouiller les cartes et, avec un peu de chance, à rassurer ses adversaires. Pourvu qu'elle ait pu être mise en action rapidement. Heureusement, il était certain de la fiabilité de ses messagers.

La nouvelle de l'arrivée dans sa structure clandestine d'un agent demandant une exfiltration urgente avait de nouveau fait monter sa tension. C'était de toute évidence liée à l'échec de l'opération précédente.

Il entra comme un fou dans le parking de Matreco Hendels et fila vers l'ascenseur menant au second sous-sol. Sergueï l'attendait en fumant, flegmatique.

— Elle est dans le bureau, Camarade Colonel, dit-il, en lui tendant la clef.

Le « elle » dissipa les derniers doutes du Soviétique. Il prit la clef et grommela :

— Va m'attendre en haut.

Hala Salameh se leva d'un bond en le voyant. Il remarqua d'un coup d'œil les cernes noirs sous ses yeux et le regard affolé. Avec cette tête-là, elle ne passerait pas le premier contrôle. Encore une des brillantes acquisitions de cet imbécile de major Orek...

Il referma la porte à clef et lui fit face, ses grandes mains le long du corps, réprimant sa rage. Jusque-là, il avait réussi à ne jamais avoir de contact avec un agent du Département S. Si les Suédois apprenaient sa rencontre avec cette femme, c'était la fin de sa carrière. Seulement, en tant que Rezident, il devait approuver personnellement une exfiltration d'urgence.

— Qu'est-ce qui s'est passé ? demanda-t-il avec brutalité. Pourquoi avez-vous utilisé cette filière ?

Hala Salameh avala sa salive.

— Je... Il y a eu un contretemps.

— Pourquoi n'avez-vous pas pu accomplir votre mission ?

Essayant de maîtriser sa voix, Hala Salameh raconta les circonstances de son échec.

— On vous a reconnu ? demanda aussitôt Viktor Indusk.

— Non, je ne le pense pas, il faisait très sombre.

Soulagé mais furieux, le colonel soviétique l'apostropha avec brutalité :

— Vous n'auriez jamais dû venir ici ! J'en rendrai compte à votre responsable. Il faut repartir à Stockholm et ne pas bouger. Personne ne peut remonter jusqu'à vous...

— C'est vrai, dit-elle, mais je voulais vous rendre compte d'une autre erreur de ma part.

— Laquelle ? coassa-t-il.

— J'ai perdu mon arme là-bas.

Le colonel Viktor Indusk sentit le sang se ruer à son cerveau comme pour le faire exploser. Machinalement, il fit un pas en avant et Hala Salameh recula aussitôt jusqu'au mur, blême.

Le Soviétique avait des yeux de fou.

— L'arme ? répéta-t-il. On peut l'identifier ?

Elle secoua la tête négativement, terrifiée.

— Non, non. C'était une arme volée qui ne mènerait nulle part.

— Alors ?

— Seulement, elle avait déjà servi... pour Latif.

Le Soviétique ne mit qu'une seconde à réaliser l'ampleur de la catastrophe. Si les Suédois avaient deux sous de jugeotte, ils risquaient de faire la liaison entre les deux affaires et de se pencher sur la mort de Leslie Manson. Or, ils n'étaient pas fous et savaient parfaitement que le PKK travaillait avec le KGB et pas avec la CIA...

Comme si ses mains étaient des entités indépendantes de lui, elles s'élevèrent lentement, ses gros doigts écartés les uns des autres et avancèrent vers la Palestinienne.

— Truie immonde ! balbutia-t-il. Charogne infecte, trou du cul de renard !

Instinctivement, il avait repris le russe, les injures de sa jeunesse campagnarde. Les grandes mains se refermèrent autour de la gorge de Hala Salameh qui poussa un faible cri.

— Non ! Arrêtez !

Les yeux injectés de sang, il ne l'entendait plus. Ses battoirs d'assassin se mirent à serrer le cou de la Palestinienne de plus en plus fort, tandis qu'il lui frappait la nuque contre le mur, comme un métronome, les yeux hors de la tête, répétant mécaniquement :

— Charogne ! Truie !

Il ne la voyait même plus. Les pensées s'entrechoquaient dans son crâne. A cause de cette conne, tout le plan risquait de s'écrouler, cette machinerie délicate qu'il avait patiemment mise au point. Parce que ces cons d'Arabes n'avaient pas été foutus de prendre deux revolvers différents...

— *La... La... La* (1).

Hala Salameh râlait, lui griffant les mains, les yeux exorbités et il continuait à serrer, muré dans sa rage folle. Il lui semblait qu'en enfonçant les doigts dans ce cou frêle il réparait un peu le mal.

Malko réfléchissait à la tentative de meurtre dont il venait d'être victime, en face d'une vodka, au bar du *Grand Hôtel* lorsqu'un garçon vint l'avertir qu'on le demandait au téléphone. Il alla prendre la communication dans le hall.

C'était Ingrid Stor, ronronnante.

— J'ai pensé à vous pour une émission de radio, annonça la rédactrice culturelle de P2. Voulez-vous prendre un verre au Club de la Presse, Vasagatan 50, vers huit heures ?

— Avec plaisir, dit Malko.

Il retourna à sa vodka et à ses réflexions. Cette invitation était la dernière surprise d'une journée fertile en événements. Que signifiait cette invitation ? Avait-elle un lien avec ce qui s'était passé dans Tunnelgatan trois heures plus tôt ? D'après la CIA, Ingrid travaillait pour le KGB, donc ce n'était pas un geste gratuit... Il se souvint soudain d'un vieux proverbe arabe : *Baise la main que tu ne peux couper...*

Il remonta dans sa chambre, sortit de sa valise son pistolet extra-plat, mit un chargeur en place et

(1) Non, non, non...

fit monter une balle dans le canon. Passant outre les recommandations de Kevin Hudson.

On sortait de prison, jamais d'un cimetière.

Un coup léger fut frappé à la porte du bureau où le colonel Indusk s'était enfermé et la voix amicale de Sergueï demanda à travers le battant :

— Tout va bien, Tovaritch Colonel ?

Egaré, le colonel Indusk regarda le corps de Hala Salameh étendu à ses pieds. Elle avait dû crier, mais il ne l'avait même pas entendue. Un peu de sang coulait de sa narine gauche, sa langue violacée pointait hors de sa bouche et son cou était devenu noir. Du bout du pied, il la poussa. Inerte comme un sac de son. Mécaniquement, il sortit un étui à cigarettes en argent, souvenir de sa promotion et en alluma une avant d'ouvrir la porte.

Il avait presque repris son calme quand il croisa le regard de Sergueï.

— Tu vas t'en débarrasser, fit-il. Qu'on ne la trouve pas avant plusieurs semaines. Enlève tout ce qui pourrait l'identifier. Envoie-moi un rapport à la Rezidentura.

Sans attendre la réponse, il écarta son subordonné et fila vers l'ascenseur. L'estomac noué par l'angoisse à l'idée du câble qu'il allait être obligé d'envoyer à Moscou, au général Boris Sakharov, responsable suprême de l'opération. Heureusement que cette imbécile avait été recrutée par le major Orek. Celui-là risquait de connaître les joies de la toundra... En attendant, il fallait accélérer l'opération avant que leurs homologues américains n'additionnent deux et deux et que les Suédois ne s'aperçoivent qu'ils avaient été roulés dans la farine.

⁂

Le brouhaha des conversations s'arrêta d'un coup au Club de la Presse lorsque Ingrid Stor accrocha sa peau de mouton à un porte-manteau en face du bar. La rédactrice culturelle de P2 sembla ne pas s'apercevoir de l'effet qu'elle provoquait dans ce local aux murs gris décorés de plantes vertes où il n'y avait que des barbus, de la bière et des filles hideuses.

D'une démarche volontairement ondulante, elle se dirigea vers la table de Malko, à côté d'un énorme caoutchouc. Ce dernier la fixait, médusé, une boule de chaleur au creux du ventre. Les courts cheveux blonds étaient cachés par une toque de fourrure noire crânement penchée sur le côté, et le visage encadré par deux pendants d'oreille descendant presque jusqu'à l'épaule. Jusque-là, c'était un personnage de Pouchkine... Mais le haut prêt à éclater sous la pression des seins, la jupe hyper-moulante en fausse panthère et les bas noirs à couture terminés par des escarpins semblaient sortis directement du crayon d'un dessinateur de BD pour adultes...

Malko se leva, intrigué. Pourquoi Ingrid s'était-elle transformée ainsi ?

— Je ne suis pas trop en retard ?

Même la voix était veloutée... Les conversations reprirent, les femelles présentes essayant de se faire toutes petites. Ingrid se glissa à côté de Malko, qui remarqua une lueur trouble dans ses yeux cobalt.

— Je suis épuisée, dit-elle. Je voudrais un cognac.

Quand le garçon lui eut apporté un Gaston de Lagrange, elle soupira :

— Je suis contente de me détendre un peu.

— Alors, vous voulez faire une émission de radio avec moi ?

Malko l'observait du coin de l'œil. Le brouhaha masquait leur conversation. Ingrid inclina la tête affirmativement.

— Oui. Je voudrais que vous m'aidiez à aller plus loin avec Lee. Si je le fais toute seule, on va me soupçonner de Dieu sait quoi...

— Lee est d'accord ?

— Je ne lui en ai pas encore parlé. J'attendais de vous rencontrer.

Malko ne voyait pas très bien où elle voulait en venir.

Ingrid qui avait bu son Gaston de Lagrange trop vite pour le laisser se réchauffer en recommanda un.

— Nous pourrions dîner avec lui, suggéra Malko. Appelez-le.

Le regard bleu colbalt se posa sur lui, avec un rien d'ironie.

— Je préfère que nous dînions seuls. J'ai beaucoup vu Lee, ces derniers temps.

— Vous allez le voir encore plus, dit Malko, saisissant la balle au bond, il paraît que vous partez en vacances ensemble...

Une lueur furieuse traversa le regard d'Ingrid.

— Qui vous a dit cela ?

— Peu importe, dit Malko.

Elle haussa les épaules.

— C'est sûrement Juri... C'est vrai, j'avais offert à Lee de m'accompagner mais cet imbécile a peur de sortir de Suède. Et puis, il commence à m'agacer avec sa pute estonienne. Il ne sait pas ce qu'il veut. Bon, on parle d'autre chose. De vous, par exemple.

Elle le fixait avec un sourire carnassier, dominateur et plein de sous-entendus.

— Vous avez des yeux étonnants, dit Malko.

— Vous aussi, dit-elle. De l'or liquide.

Ils se turent, l'atmosphère entre eux brusquement électrisée. Malko balançait entre divers sentiments. L'attirance pour Ingrid qui semblait s'offrir, la méfiance et la perplexité.

— Vous voulez dîner ici ? demanda Ingrid.

Malko regarda les murs gris, les groupes bruyants

en train d'écluser de la bière par tonneaux, les femmes mal attifées. La cuisse dure d'Ingrid était apuyée contre la sienne. Il pria pour qu'elle n'ait pas la mauvaise idée de passer un bras autour de sa taille, car elle ne pourrait ignorer la présence de son pistolet extra-plat glissé dans sa ceinture, à la hauteur de sa colonne vertébrale.

Il n'avait pas parlé à Ingrid de la tentative de meurtre dont il avait été victime quelques heures plus tôt, mais le claquement des coups de feu flottait encore dans sa tête. Avec, comme toujours, une féroce envie de vivre.

Leurs propos presque mondains tranchaient bizarrement avec la férocité de la lutte souterraine pour Lee Updike.

— Pas vraiment, dit-il, après un petit moment.

— Alors, allons au *Café Opéra,* suggéra-t-elle. Pour moi, il y a toujours de la place.

Quand elle traversa la grande salle du Club de la Presse d'un pas assuré, de nouveau les conversations se turent, noyées par un flot de mauvaises pensées. La croupe moulée de fausse panthère attirait le regard des mâles comme le miel attire les mouches. Il sembla pourtant à Malko qu'elle ne se balançait que pour lui.

Le colonel Viktor Indusk avait décommandé la soirée officielle à laquelle il devait assister et s'était enfermé dans son bureau de la Rezidentura. Un peu calmé. Pourtant, quand il étendait ses grandes mains devant lui, elles tremblaient encore.

Comme un écolier appliqué, il se remit au rapport destiné au général Sakharov, qui allait partir la nuit même. Il grimaça, la poitrine traversée d'une brusque douleur qui lui coupa le souffle.

Les nerfs et l'angoisse. Il se demanda brutalement si l'opération Znanié n'allait pas être la fin de sa carrière.

Il resta la plume en l'air quelques secondes, se repassant mentalement les mesures prises. D'abord la parade à l'échec de Tunnelgatan, ensuite, le déclenchement de la dernière phase de Znanié et ce rapport qui expliquait tout.

Embués par l'alcool, les yeux bleu colbalt d'Ingrid étaient encore plus beaux. Le brouhaha du *Café Opéra* était saoûlant, limitant la conversation. Malko ne savait toujours pas pourquoi la Suédoise lui avait suggéré cette rencontre.

Elle s'étira, faisant saillir ses seins, et proposa :

— On s'en va ?

Malko n'attendait que cela... Les gens faisaient la queue pour entrer, dans un froid de gueux, et ils coururent jusqu'à sa Volvo. Avec sa tenue, Ingrid devait geler, mais elle ne se plaignait pas.

— J'habite loin, dit-elle, vers le parc Haga, cela ne vous fait pas peur ?

Malko l'assura du contraire. Le pistolet extra-plat était maintenant glissé sous son siège. Elle le guida dans le nord de la ville jusqu'à un immeuble moderne.

— Venez prendre le dernier verre, proposa-t-elle. Vous l'avez bien mérité.

Chez elle, c'était un intense bordel, avec des affiches gauchistes au mur, des vêtements pendus à des clous et un matelas posé à même le sol. Et il régnait une chaleur étouffante, un vrai sauna. Elle ôta sa peau de mouton, mit une cassette de musique des Andes sur une chaîne stéréo portable Samsung et fit face à Malko avec un sourire ambigu, un peu déhanchée.

— Vous me trouvez belle, habillée comme ça ? demanda-t-elle moqueusement.

Comme il ne répondait pas, elle s'approcha jusqu'à ce que les pointes de ses seins effleurent la poitrine de Malko. A chaque respiration, ils se gonflaient un peu et il sentit le sang se ruer dans ses artères. Ingrid Stor paraissait lui offrir sur un plateau un fantasme inespéré.

Trop beau pour être vrai.

— Je vous croyais amoureuse de Lee Updike, dit-il.

Les coins de sa bouche s'abaissèrent.

— Ne me parlez pas de ce cloporte ! lança-t-elle d'une voix méprisante.

D'un geste brusque, elle se débarrassa de sa toque et fit passer son pull par-dessus sa tête, révélant ses lourds seins laiteux, parcourus de veines bleues. Puis ce fut le tour de la jupe de panthère... Dessous, elle n'avait qu'un porte-jarretelles noir tout neuf dont les fines attaches semblaient enfermer un triangle de fourrure blonde.

Lorsqu'elle se tourna pour gagner le lit, Malko put admirer une chute de reins à damner tous les apôtres. Ingrid s'allongea sur le dos, une jambe repliée et lui lança :

— Je ne vous plais pas ?

En d'autres circonstances, il l'aurait déjà violée... Encore sur ses gardes, il la rejoignit, essayant de ne pas oublier qu'Ingrid Stor travaillait sûrement pour le KGB et qu'elle ne pouvait ignorer qui il était.

Elle ne s'occupait pas de lui, les yeux au plafond. Puis sa main droite se posa sur son ventre, jouant avec sa toison dorée. Elle ferma les yeux, tandis qu'insensiblement, ses doigts disparaissaient entre ses cuisses un peu disjointes. Au mouvement régulier de ses tendons, Malko devina sans peine à quoi elle s'occupait.

Sans la moindre pudeur, son ventre s'était creusé,

sa respiration était plus courte et son visage affichait une concentration intense. Ce spectacle érotique à l'extrême acheva de troubler Malko. A son tour, il se déshabilla, puis revint s'allonger à côté d'Ingrid dont le ventre ondulait au rythme endiablé de ses doigts.

Ses yeux se posèrent sur son érection et, aussitôt ses lèvres se retroussèrent sur ses gencives en un sourire gourmand. Ses doigts ralentirent leur sarabande et elle dit d'une voix rauque :

— Ne bouge pas !

Elle se redressa, bascula et s'installa sur lui à califourchon. Sa main gauche disparut entre leurs deux corps, se referma autour du sexe dressé et elle se laissa tomber, s'empalant sur lui. Malko eut l'impression de plonger dans une fournaise de velours et manqua exploser sur le champ. D'abord, Ingrid demeura immobile, le corps très droit, puis les mains appuyées sur ses cuisses, elle commença à se balancer d'avant en arrière, se servant du sexe de Malko comme elle s'était servi de ses doigts...

Il voulut caresser ses seins, mais elle recula, continuant son manège, le regard fixe :

— Laisse-moi !

Sa voix sourde était autoritaire, presque méchante. Et pourtant, elle avait son sexe enfoncé dans son ventre jusqu'à la garde...

Son numéro d'amazone s'accéléra peu à peu en un trot qui se transforma en galop effréné jusqu'à ce qu'elle se fige, écrasée sur lui, un son sifflant s'échappant de ses lèvres. Puis elle s'inclina lentement en avant, sa poitrine contre le torse de Malko et elle ne bougea plus, la tête enfouie dans son épaule. Il n'avait même pas joui et son sexe l'empalait toujours. Tremblant d'excitation, il voulut la faire basculer pour la prendre à son tour, mais elle se déroba et retomba sur le dos avec un soupir d'aise :

— J'ai cru que tu ne me baiserais jamais !

— C'est toi qui m'as baisé, remarqua Malko toujours en pleine érection et frustré.

— C'est vrai, reconnut-elle.

Allongeant la main, elle referma ses doigts autour de lui, commençant à le secouer violemment.

Il l'écarta.

— Pas comme ça, fit-il.

— J'ai joui ! lança Ingrid.

Au moment où il allait lui reprocher son égoïsme, il remarqua une cravache noire posée le long du mur, un peu trop en vue.

— Tu fais du cheval ?

— Non.

— C'est pour toi, alors ?

Elle eut un sourire dédaigneux.

— Personne n'a encore osé.

Leurs regards se soudèrent l'un à l'autre de longues secondes. Puis Malko, la gorge sèche, se leva, toujours flamboyant. Il prit la cravache. Ingrid, retournée sur le ventre, l'ignorait ostensiblement, offrant le spectacle de sa croupe sublime. Malko s'approcha et la cingla violemment en travers des reins.

Cela fit un bruit mat et une raie rouge apparut instantanément. Ingrid tressauta. Il s'attendait à ce qu'elle se jette sur lui, mais elle se souleva un peu, comme pour lui offrir encore une meilleure cible... Alors, il se mit à la frapper comme une jument, striant sa croupe callipyge de marques rouges, en relief sur la peau soyeuse.

Elle s'agenouillait peu à peu, toujours sans un soupçon de révolte, la tête entre ses mains.

Jetant la cravache, il trouva aussitôt le chemin d'un sexe inondé dans lequel il s'enfonça d'un seul coup de hanche.

Son ventre se colla à la croupe brûlante, striée de zébrures rouges, ferme et douce, et il se mit à labourer sa proie avec toute la force dont il était capable. Arc-boutée sous lui, Ingrid le recevait passivement. Elle poussa un feulement sauvage lorsqu'elle le sentit se vider en elle.

***

Ingrid fumait une cigarette, allongée sur le ventre, appuyée sur les coudes réchauffant dans sa main gauche un ballon de Gaston de Lagrange.

— C'était superbe ! dit-elle.

— Tu n'as jamais fait cela avec Lee Updike ?

Ingrid eut un sourire un peu méprisant.

— Il n'oserait pas, il est trop féminin.

— Mais tu es amoureuse de lui, pourtant, insista-t-il.

Elle secoua la tête.

— J'ai un peu fait l'amour avec lui, parce que j'aime bien essayer de nouveaux amants et qu'il est très gentil, mais ce n'est pas mon type d'homme. Maintenant, il s'accroche.

— Tu ne dois pas partir en vacances avec lui ?

— Je t'ai dit qu'on en avait parlé, reconnut-elle, mais c'est fini. Pourquoi ne viendrais-tu pas avec moi en Finlande ? Nous ferions l'amour dans des saunas en s'arrosant de bière. Après on sent le houblon.

— Et Lee ?

— Laisse Lee, il a sa pute estonienne.

Elle bâilla et lui caressa le dos distraitement.

— Je crois que je vais dormir, dit-elle. Ça t'ennuie de rentrer ? J'aime bien être seule.

Encore une romantique incurable.

Malko reprit un aspect civilisé. Ingrid avait toujours ses bas et ses escarpins quand elle lui dit au revoir.

— Appelle-moi à P2, dit-elle. J'aimerais bien encore baiser avec toi.

*
**

— Venez vite à l'ambassade, il y a du nouveau !

La voix de Kevin Hudson frémissait d'émotion. Malko, qui sortait de sa douche, se demanda ce qui se passait.

Dix minutes plus tard, il sautait dans sa voiture. Le temps ne s'était pas amélioré et quelques flocons de neige flottaient dans l'air. Le chef de poste de la CIA l'accueillit dans le hall.

— La Säpo vient de me téléphoner, annonça-t-il. Ils ont procédé à un examen balistique du projectile tiré sur vous. L'arme est la même que celle qui a été utilisée pour assassiner le Kurde dont je vous avais parlé.

— Celui que vous soupçonnez d'avoir été mêlé à la mort de Leslie Manson ?

— Exact.

Malko pesa les conséquences de cette découverte. Cela confirmait l'existence d'un plan de longue haleine du KGB.

— Que disent les Suédois ?

— Ils refusent encore de croire que Leslie Manson a été assassinée.

— Rien sur cette femme ?

— La Säpo soupçonne, d'après le signalement, une Palestinienne du groupe Abu Nidal, Hala Salameh. Elle aurait utilisé la voiture du représentant de l'OLP en Suède qui est aussi son amant. Il a été interrogé et a confirmé avoir prêté sa voiture.

— Où est-elle ?

— Disparue. On a perquisitionné chez elle sans rien trouver. La police suédoise la recherche.

Malko se dit qu'on ne la retrouverait pas de sitôt. La question lancinante demeurait. Pourquoi avait-elle voulu les tuer ? Certes, il gênait l'opération du KGB, mais pas au point de prendre de tels risques.

Il repensa à sa brûlante soirée avec Ingrid Stor. La journaliste suédoise avait tout fait pour le persuader qu'elle avait rompu avec Lee Updike, allant jusqu'à faire l'amour avec lui...

Il y avait une autre hypothèse supposant que la CIA se soit complètement plantée...

Dans l'ascenseur, Malko rumina ces éléments et, à peine dans le bureau de Kevin Hudson, demanda à l'Américain :

— Etes-vous absolument certain qu'Ingrid Stor travaille pour les Soviétiques ?

CHAPITRE VIII

Kevin Hudson eut un haut-le-corps.

— Bien sûr que j'en suis certain ! Pourquoi ?

— Elle a une attitude étrange, dit Malko.

Il lui raconta sa soirée, en taisant seulement la partie la plus sulfureuse. L'Américain lui jeta un regard pénétrant.

— Décidément, cette fille est diabolique... La Troisième Section de la Säpo a un dossier en béton sur elle. Basé sur des écoutes téléphoniques, des rencontres photographiées, des messages du KGB décryptés et, même, les révélations d'un défecteur. Je vous l'ai dit. C'est définitivement un agent d'influence soviétique, il y en a des milliers dans ce pays. Comme elle ne se livre à aucune activité d'espionnage proprement dite, les Suédois lui foutent une paix royale.

— Donc, enchaîna Malko, Ingrid Stor, à votre avis, a essayé de me persuader qu'elle ne s'intéresse plus à Lee Updike pour nous endormir.

— Sans aucun doute, fit Kevin Hudson.

— Ça me paraît un peu court, fit Malko. Cette « manip » est trop simple, trop évidente... Résumons : d'abord on tente de m'assassiner, alors que je n'ai pas conscience d'avoir gêné le KGB. Bien sûr, ma présence doit les agacer, mais nous savons qu'ils ne tuent qu'en dernier ressort. Surtout en Suède.

Là-dessus, une agente du KGB fait tout pour me persuader que son idylle avec Lee Updike est terminée. Réfléchissons un peu. Nos homologues ne sont pas des demeurés.

— Hélas non, soupira Kevin Hudson.

— Donc, continua Malko, ils se doutent bien que je ne vais pas tomber dans le panneau. Et que je vais imaginer qu'ils ont un autre plan.

— Bien raisonné, fit l'Américain.

— Oui, mais les Soviétiques sont des joueurs d'échecs, fit remarquer Malko. En me mettant volontairement sur une autre piste, ils laissent la voie libre à Ingrid Stor. Nous nous hypnotisons sur ce projet de voyage en Finlande, mais il y a peut-être autre chose que nous ignorons...

Ils restèrent silencieux quelques instants, perdus chacun dans leurs pensées. A peine neuf heures du matin et on avait l'impression que la nuit allait tomber. Quelques flocons de neige s'écrasaient mollement sur les vitres, laissant des petites traînées brillantes. Kevin Hudson se leva, alluma, puis brancha la télé Samsung. C'était l'heure des infos sur CNN (1).

— Je vais d'abord essayer d'avoir confirmation de ce que m'a dit Ingrid auprès de Lee Updike, suggéra Malko. J'espère qu'il ne m'enverra pas promener.

— Je l'espère aussi, fit l'Américain avec un ton lourd de sous-entendus et un regard au calendrier mural qui indiquait le 4 décembre. Vous connaissez les ordres en ce qui le concerne. Si à la fin du mois...

Décidément, la Company était de nouveau reprise par ses vieux démons. Malko se sentit mal à l'aise en pensant au regard innocent de Lee Updike et à son désir naïf de vivre en paix.

(1) Chaîne US d'informations.

— J'aurai beaucoup de mal à ne pas l'avertir, fit Malko.

Il crut que Kevin Hudson allait lui sauter à la gorge.

— Vous êtes gelé ! C'est une information hyper-fermée. Je n'aurais même pas dû vous en parler. En la divulguant, vous vous grilleriez définitivement avec la Company. Et moi, je sauterais pour vous l'avoir révélée.

Malko lui adressa un sourire ironique.

— Donc, nous sommes condamnés à réussir... Mais revenons à notre problème immédiat.

« Supposons que les Soviétiques aient un autre fer au feu... D'où peut venir le danger ?

— Je l'ignore, avoua Kevin Hudson.

— Puisque le KGB, comme nous, est tenu à une opération en douceur, dit Malko, ce ne peut être qu'une « manip » à travers quelqu'un qui est intime de Lee Updike. Y en a-t-il beaucoup ?

— D'après mes informations, pratiquement personne. Lee est plutôt du genre sauvage.

— Il reste donc les femmes, dit Malko. Ingrid et Natalja.

Kevin Hudson sursauta.

— Natalja ! Mais vous avez pensé vous-même à la recruter. Elle est complètement clean. J'ai son dossier. Enfin une partie. La Station du Caire a répondu. Les Egyptiens ont des infos sur elle. Comme toutes les danseuses qui font les night-clubs. Elle ne paraît pas polluée et a même collaboré sur de petits trucs avec un de nos « stringers ».

— Et la Säpo ?

— J'ai parlé moi-même avec un vieux flic du CE spécialiste des Estoniens. Il a des informateurs partout. Il m'affirme que Natalja Kippar est OK.

— Et Helsinki ?

— Pas encore de réponse.

— Y a-t-il un responsable de la communauté estonienne à Stockholm ? demanda Malko.

— Plusieurs. Pourquoi ?

— Pour en apprendre peut-être un peu plus sur Natalja.

L'Américain hésita.

— J'en connais un, mais il n'est pas très fiable. Lembit Fuchs. Un ancien de la SS estonienne, recherché comme criminel de guerre. Il m'abreuve d'informations sans intérêt sur le KGB estonien. Juri Maran peut vous introduire auprès de lui. Mais méfiez-vous, il hait tellement les Russes qu'il raconte un peu n'importe quoi. Et il y a vingt-cinq mille Estoniens en Suède. Il ne peut pas les connaître tous.

— On verra.

Ils étaient à la porte quand le téléphone sonna. Kevin Hudson retourna le décrocher.

— C'est Juri, justement, dit-il. Il a essayé de vous joindre au *Grand Hôtel*.

— Où est-il ?

— Dans un café de Vasagatan. Le *Zig-Zag*. Juste en face de la gare.

— Dites-lui que j'arrive.

***

Les yeux bleus de Juri Maran brillaient d'une lueur naïvement heureuse, tandis qu'il réchauffait ses mains autour d'un bol de soupe.

— J'ai retrouvé le mari de Natalja, annonça-t-il tout fier. Il s'appelle Olli Karhula et vit ici à Stockholm. Il est opérateur de télex.

— Bravo, fit Malko, comment avez-vous fait ?

Juri se rengorgea.

— D'abord j'ai demandé à Natalja. Il fallait bien que je connaisse son nom. Elle me l'a donné, mais m'a dit qu'elle ignorait où il se trouvait. Elle pensait qu'il vivait en Allemagne.

— Et alors ?

— Comme tous les Estoniens, je comprends le finnois, dit Juri Maran. J'ai pris un annuaire d'Helsinki et j'ai cherché à Karhula... J'en ai trouvé plusieurs et finalement un cousin de cet Olli. Qui m'a dit qu'il habitait la Suède. Mais c'est tout ce qu'il savait...

— Comment l'avez-vous localisé ?

— J'ai un copain à la Säpo. Ils ont la liste de tous les étrangers vivant en Suède, ceux qui possèdent un « person-nummer (1) » comme les Suédois. Ça a été facile.

— Vous lui avez parlé ?

— Oui. Je l'ai appelé à son bureau. Je lui ai donné rendez-vous pour déjeuner. En lui expliquant que vous étiez un journaliste en train de faire une histoire sur les faux mariages estoniens-finlandais...

Il était tellement excité par sa découverte que son débit saccadé et son anglais approximatif le rendaient presque incompréhensible...

Et soudain, en se mirant dans ses yeux bleus pleins d'innocence, Malko vit les morceaux d'un puzzle féroce se mettre en place.

— Juri, dit-il, cette femme qui a tiré sur nous, aviez-vous l'impression qu'elle vous visait ou qu'elle me visait ?

Juri Maran, surpris, mit quelques secondes à répondre.

— Il m'a semblé que c'était moi qu'elle visait, mais j'ai pu me tromper, ça s'est passé très vite... Pourquoi ?

— Rien d'important, dit Malko. Où déjeunons-nous ?

— Au restaurant *Kajplats*, sur Norra Mälarstrand. C'est près de son bureau. A une heure.

(1) Numéro d'identification personnel.

Il allait devoir remettre le déjeuner qu'il avait promis à Lee Updike.

— Est-ce que vous connaissez Lembit Fuchs? demanda Malko.

Le visage de Juri s'éclaira.

— Bien sûr, c'est un grand patriote estonien. Vous voulez le rencontrer?

— Si possible.

Juri se leva et partit téléphoner. Il revint radieux.

— Il peut vous voir ce matin. Mais moi, je suis pris.

— Ça ne fait rien, dit Malko, donnez-moi l'adresse. Nous nous retrouverons ensuite au *Kajplats.*

*
**

Les énormes clapiers de vingt étages qui bordaient Fyrverkarbacken avaient une allure fantomatique sous les flocons de neige. Malko s'arrêta en face du numéro 38. Tout le haut de la colline dominait les buildings du *Svenska Dagbladet* et de l'*Expressen.* Prudent, il glissa son pistolet extra-plat dans la poche intérieure de sa pelisse avant de verrouiller sa Volvo.

L'ascenseur était vieux, lent et sale, et sentait le hareng. Il sonna au huitième, et la porte s'ouvrit immédiatement.

Lembit Fuchs avait le visage tout en longueur, comme aplati, avec des cheveux d'un blanc neigeux et les mêmes yeux que Juri Maran, mais soulignés de grosses poches. Il se tenait très droit, avec dans son allure quelque chose de militaire.

— Entrez, dit-il. Je vous attendais. Les amis de Juri sont mes amis.

Malko pénétra dans un petit appartement douillet d'une propreté méticuleuse. Un drapeau estonien bleu et noir pendait au mur. Lembit Fuchs s'assit dessous, poussant vers Malko une tasse de thé et des biscuits. Cet accueil était touchant.

— Que puis-je faire pour vous ? Juri m'a dit que vous étiez un ami et un sympathisant de notre cause...

— Vous avez gardé des contacts avec l'Estonie ? demanda Malko.

Le regard du vieillard s'assombrit.

— Bien sûr ! C'est mon pays ! Je l'ai quitté le 22 septembre 1944 et je ne pourrai jamais y retourner. Les Estoniens communistes disent que je suis un criminel de guerre.

— Vous connaissez une certaine Natalja Kippar ?

Il fronça les sourcils.

— Je l'ai rencontrée une fois ou deux. Pourquoi ?

— Je voudrais en savoir plus sur elle. Est-ce possible ?

Lembit Fuchs grignota un biscuit et jeta un regard rusé à Malko.

— Je pense que oui. Vous la soupçonnez de ne pas être ce qu'elle prétend ?

— Non, dit Malko. Je veux seulement être sûr qu'on peut lui faire confiance.

— Que voulez-vous savoir au juste ?

— Tout. Comment elle est partie d'Estonie, ce qu'elle a fait ensuite, ce qu'on pense d'elle, ses attaches politiques, si elle en a.

Le vieil Estonien nota soigneusement toutes les indications de Malko, puis releva la tête.

— Quand je pense que nous sommes à trois cents kilomètres de Tallin, qu'on peut l'avoir au téléphoner en dix minutes et que je n'y retournerai jamais, j'ai envie de pleurer.

— Je comprends, dit Malko. C'est terrible.

Il laissa passer quelques instants avant de demander :

— Quand saurez-vous quelque chose ?

— Revenez me voir dans deux jours, fit le vieil Estonien d'une voix plus ferme.

***

La neige avait cessé de tomber. En sortant de chez Lembit Fuchs, Malko regarda sa Seiko-Quartz. Dix heures et demie. Il avait encore le temps. Trois cents mètres plus loin, il trouva une cabine et appela Lee Updike.

L'Américain avait la voix ensommeillée et sembla à peine reconnaître Malko.

— Je ne peux pas déjeuner avec vous, annonça ce dernier, mais j'aimerais prendre un verre avec vous.

— Cela tombe bien, moi non plus, dit l'Américain. Quand voulez-vous me voir ?

— Maintenant. Je suis tout près de chez vous.

Lee Updike eut une quinte de toux puis laissa tomber sans enthousiasme :

— Bon... Dans un quart d'heure au café *Christina*, dans Västerlånggatan.

Cette fois, Lee Updike était rasé et avait retrouvé du poil de la bête. Il semblait étrangement déplacé au milieu de Suédoises rubicondes qui se bourraient de gâteaux sous les portraits des anciens rois de Suède.

Il jeta un coup d'œil curieux à Malko et replia le *Herald Tribune.*

— Qu'avez-vous de si important à me dire ?

— Mon journal voudrait que vous veniez à Vienne pour une série de conférences.

Lee Updike secoua la tête.

— Cela ne m'intéresse pas, j'ai déjà trop parlé. Pourtant, j'aimerais bien bouger, je commence à m'ennuyer à mourir ici. C'est toujours la même chose. Et je vois l'hiver qui arrive. Il paraît que la vie est totalement paralysée.

— Vous avez votre amie Ingrid, avança Malko. Je doute que l'hiver la paralyse.

— Oui, Ingrid, fit rêveusement Lee Updike.

— Vous ne devez pas partir avec elle ?

— Elle me l'a demandé, avoua Lee Updike, mais je refuse. Je ne suis pas idiot, je sais bien que j'intéresse les Soviétiques. Ici, ils ne tenteront rien, mais ailleurs...

— Vous n'avez pas confiance en Ingrid ?

— Si, si, mais il n'y a pas qu'elle. Je suis certain que les Américains et les Soviétiques me surveillent.

— Et Natalja Kippar ? Vous la revoyez ?

Lee Updike touilla la crème de son gâteau.

— Ah, Natalja ! Elle est déroutante. Très fuyante. Les Baltes sont des gens bizarres. Je vais la retrouver pour déjeuner au Filmhuset.

« En ce qui concerne votre proposition, j'ai déjà tout dit à vos confrères et je ne veux pas sortir de Suède en ce moment.

— Vous n'avez pas tout dit, remarqua Malko. Il paraît que vous détenez des secrets terrifiants.

Lee Updike lui jeta un regard perçant.

— Vous avez vu les Américains, n'est-ce pas ?

— Oui, dit Malko. C'est faux ?

Lee Updike secoua la tête lentement.

— Non, c'est vrai, mais je voudrais oublier. Seulement c'est impossible.

A côté d'eux, deux mémères s'empiffraient de sandwiches au concombre avec des mines de chattes gourmandes, s'imposant, par contre, dans leur thé des sucrettes chimiques au goût âcre. Comme si cela compensait...

Une crainte soudaine assombrit les yeux clairs de Lee Updike.

— Vous ne parlez pas comme un journaliste, remarqua-t-il. Qui êtes-vous vraiment ?

— Un journaliste.

L'Américain n'insista pas.

— Bon, je suis désolé pour Vienne. A un de ces jours.

Ils se séparèrent sur le trottoir enneigé de Västerlånggatan.

— Faites attention, conseilla Malko. A tout et à tous.

Il eut le cœur serré en voyant la silhouette voûtée du jeune Américain s'éloigner dans la petite rue déserte et calme. Il partit dans la direction opposée, pensif. Ainsi Ingrid Stor lui avait bien dit la vérité sur un point : Lee ne voulait pas l'accompagner en Finlande.

Depuis sa conversation avec Juri, une heure plus tôt, une idée commençait à faire son chemin dans sa tête. Il n'avait encore rien pour l'étayer, mais elle avait le mérite d'expliquer pas mal de choses. Dont la tentative de meurtre. Il se dit qu'avant de rencontrer l'ex-mari de Natalja Kippar, ce serait intéressant de la voir, elle. Grâce à Lee Updike, il savait où la trouver.

*
**

Natalja Kippar descendait la rampe du Filmhuset, la tête baissée, un gros manuscrit sous le bras et se heurta presque à Malko qui montait. Avec ses bottes rouges, son fuseau et sa casquette violette, on ne pouvait pas la rater...

— Malko ! Quelle surprise !

Elle l'embrassa sur la joue, mais sa bouche glissa jusqu'à la commissure de ses lèvres et son corps souple s'appuya au sien quelques instants. Ses yeux sombres se posèrent sur Malko.

— Que faites-vous ici ?

— Je revenais de l'ambassade US, expliqua Malko. J'ai voulu voir si vous étiez là pour vous rappeler que nous dînons ensemble ce soir.

Les yeux tristes de Natalja s'éclairèrent.

— C'est gentil ! Je devais déjeuner avec Lee, mais je viens de me décommander. J'ai rendez-vous avec un producteur étranger dans le centre.

— Je vous emmène, proposa Malko.

Elle se pelotonna frileusement dans la Volvo avec un soupir d'aise.

— Ah, comme c'est bon de ne pas attendre le bus. Quand je pense qu'il va faire tous les jours un peu plus froid...

— Cela ne vous fait pas peur ?

— Non, mais cela signifie des mois de vie au ralenti. Il y a plus d'un mètre de neige dans les rues. Les gens restent chez eux, boivent, regardent la télé ou lisent.

— Vous n'avez pas envie de partir ?

Elle lui adressa un sourire triste au moment où il tournait dans Strandvägen.

— Où ? Je n'ai pas d'argent et ici je gagne ma vie.

Elle semblait soudain très fragile.

— Vous voyez souvent Lee Updike ?

Elle eut un rire cristallin.

— Je crois que sa panthère l'a repris en main ! Dommage, il est si gentil. Enfin, c'est la vie.

Strandvägen était quasiment déserte. Natalja demanda à Malko de l'arrêter en face du théâtre d'Art dramatique. Elle pivota, dépliant ses longues jambes, se pencha et l'embrassa légèrement sur la bouche.

— A ce soir !

Malko la regarda s'éloigner. Lisse et impénétrable. Faisait-elle partie de la toile d'araignée invisible qui se tissait autour de Lee Updike ?

Il jeta un coup d'œil à sa Seiko-Quartz et redémarra. Dans vingt minutes, il allait faire connaissance du premier mari de Natalja Kippar. Il était de plus en plus persuadé que c'était pour empêcher cette rencontre qu'on avait voulu les tuer, Juri Maran et lui.

CHAPITRE IX

L'homme corpulent assis à côté de Juri avait un visage poupin constellé de boutons comme un adolescent. Ses yeux de myope, protégés par de grosses lunettes, semblaient énormes. Il se leva vivement et tendit la main à Malko d'un geste compassé.

— Karhula...

Sa poignée de main était légèrement gluante, moite. Malko l'enveloppa d'un regard rapide. L'ex-mari de Natalja était mal fagoté, dans un costume informe, ses ongles étaient en deuil et il semblait empêtré de son grand corps. Il fallait que Natalja Kippar ait eu sacrément envie de quitter l'Estonie pour mettre cette horreur dans son lit. Juri présenta Malko en finnois et Olli Karhula sembla peu impressionné.

— Commandons, proposa Malko.

Le *Kajplats* aurait pu se trouver à New York avec sa décoration pop, ses murs en bois doré couverts de posters et les entassements de poissons et de fruits de mer.

— Je vais prendre trois huîtres, annonça solennellement Olli Karhula.

— Seulement trois ? s'étonna Malko.

Olli Karhula lui adressa un regard grave.

— C'est très cher.

— Allez jusqu'à six, conseilla Malko.

Olli Karhula se laissa tenter, puis aussitôt s'esquiva, une petite trousse sous le bras.

— Curieux personnage, remarqua Malko.

— Il est très malade, le diabète, expliqua Juri Maran. Il doit se faire une piqûre d'insuline toutes les quatre heures, sinon il tombe dans un coma diabétique.

— Il est marié ?

— Non, il m'a dit qu'il ne gagnait pas assez pour cela. Il vit seul, et n'a qu'un plaisir : la radio amateur.

— Il vous a parlé de Natalja ?

— Il était fou amoureux d'elle.

Olli Karhula réapparut, ragaillardi. Il fixa son regard de myope sur Malko et demanda de sa voix égale :

— Alors, que puis-je faire pour vous ?

— Je ne sais pas encore, répliqua Malko tandis que le Finlandais détachait avec amour sa première huître de sa coquille. Je fais un reportage sur les dissidents qui s'enfuient à l'Ouest. Je voudrais savoir comment vous avez connu votre femme, Natalja...

Olli Karhula goba une autre huître, impassible.

— Vous la connaissez ?

— Un peu.

Olli Karhula secoua la tête, marmonnant quelque chose entre ses dents. Ses yeux étaient embués, Malko le laissa avaler trois huîtres avant de demander :

— Vous l'avez rencontrée où ?

— A Tartu, fit Olli Karhula. A ce moment-là, j'habitais à Helsinki. J'allais souvent passer des vacances en Estonie parce que ce n'était pas cher. Je l'ai aperçue dans un night-club. Elle chantait et elle était très belle avec ses longs cheveux noirs et sa robe brodée. Oui, vraiment très belle et si douce ! Nous avons pris un verre, je me souviens, un sirop de menthe, parce qu'elle ne buvait pas d'alcool. D'ailleurs, la vodka était trop chère.

« Nous avions du mal à nous comprendre, bien que l'estonien et le finnois soient très proches.

« Je l'ai emmenée à Tallin, la capitale. Nous avons pris le bus et nous nous sommes promenés sur la plage. C'était l'été. Nous n'avions pas de maillot, alors nous n'avons pas pu nous baigner. Mais c'était très bien quand même. Et puis, à l'époque, je n'avais pas encore eu mon accident, je n'étais pas malade.

Il débitait son récit d'une voix monocorde et extasiée, le regard fixé droit devant lui, jouant avec son verre vide.

— Et ensuite ? demanda Malko.

Olli Karhula prit le temps d'avaler sa dernière huître.

— Ensuite ? Je suis revenu plusieurs fois en Estonie. Elle m'a présenté sa maman qui vivait à Tartu. Une vieille dame qui refusait d'apprendre le russe, ce qui lui causait beaucoup d'ennuis. Natalja m'a dit qu'elle s'entendait bien avec moi. Alors, j'ai fait les démarches et nous nous sommes mariés...

C'était un peu court.

— Elle n'a pas eu de mal à quitter le pays ? insista Malko.

— Je suis finlandais, expliqua Olli Karhula. Elle a obtenu un visa de sortie et n'est jamais revenue. Je me souviens, quand elle a quitté sa mère, elle pleurait, c'était très triste. Moi, je pleurais aussi.

Il n'avait rien de ridicule, malgré son emphase et sa voix solennelle.

— Et plus tard ?

— Nous avons vécu à Helsinki, nous étions très heureux. C'est la première fois qu'elle voyait tant de choses dans les magasins, elle n'arrêtait pas d'acheter. Cela a été notre première dispute. Je ne gagnais pas assez d'argent... Alors, quelques mois plus tard, nous avons décidé de nous séparer... Elle pleurait aussi ce jour-là.

Il se tut, la voix étranglée. Juri le fixait, fasciné, trempant à peine les lèvres dans son eau minérale.

— Pourquoi êtes-vous venu vivre en Suède ?

Olli Karhula le regarda avec un air surpris, comme si c'était une évidence.

— Mais pour être plus près d'elle ! Quand elle est venue à Stockholm, j'ai quitté mon travail à Helsinki pour un petit job ici. Je gagne neuf mille couronnes et le fisc m'en prend quatre mille... Heureusement que mon insuline est gratuite.

— Vous l'avez revue souvent ? demanda Malko.

— Quelquefois, fit Olli Karhula évasivement. Elle est très prise avec son métier de comédienne.

Malko écoutait ce récit plutôt pathétique avec une certaine perplexité. Olli Karhula avait une vision complètement idéalisée de Natalja Kippar et ne lui livrait sûrement qu'une version dénocotinisée de la vérité, mais il ne pouvait pas le brusquer. Pourquoi Natalja lui avait-elle dit, lors de leur première rencontre, qu'elle n'avait jamais revu Karhula depuis la Finlande ? Le Finlandais regarda sa montre et annonça :

— Il faut que je passe chez moi. Cet après-midi, je ne travaille pas. C'est l'heure où je parle à un radioamateur australien. Je dois lui donner des nouvelles du temps. Il n'a jamais vu de neige. Si vous voulez voir mon installation...

Sa voix était pleine de fierté.

Ils sortirent. Deux heures et demie, le soleil se couchait dans un froid sibérien... Le Finlandais habitait dans un grand immeuble de brique rouge de l'autre côté de la rue. Même dans la cour, le blizzard soufflait.

Malko éprouva une certaine surprise en découvrant le petit appartement d'Olli Karhula. A part un panneau où s'entassait son matériel d'émission radio, les murs étaient constellés de photos punaisées. Principalement des portraits.

Natalja Kippar.

Elle portait les cheveux encore plus longs, à cette époque. Près du lit, Malko vit un cliché d'Olli et Natalja, enlacés, elle en maillot une pièce, souriante, la taille filiforme, les longues jambes bien galbées et la poitrine provocante.

— Elle est belle, hein ? grommela Olli Karhula en farfouillant dans ses cadrans.

Sur toutes les photos, ce regard étrange d'un noir liquide, vide et triste et ce sourire de madone, indéchiffrable. A la fin, cette pureté donnait une impression de malaise, ce regard vous poursuivait sans qu'on puisse l'interpréter. Olli Karhula, casque aux oreilles, se retourna.

— Je suis en avance, il n'est pas encore à l'écoute.

— Nous allons vous laisser, dit Malko. Votre installation est magnifique.

Gentiment, Olli Karhula ôta son casque et les raccompagna.

Derrière eux, la radio se mit à gazouiller.

— Je vous laisse, s'excusa le gros garçon, avant de refermer la porte.

Malko appuya sur le bouton de l'ascenseur. Troublé. Pourquoi Natalja avait-elle menti, prétendant qu'elle ne savait pas où se trouvait son mari ? Certes, elle pouvait avoir envie de le cacher, car il n'était pas tellement reluisant... Juri Maran le regarda anxieusement.

— Cela vous a servi ?

— Un peu, dit Malko. Cela ne vous étonne pas que Natalja ait épousé Olli Karhula ?

Le jeune Estonien haussa les épaules.

— Oh, elle voulait quitter l'Estonie. Beaucoup font la même chose...

*
**

Adnan Candenir écarta l'écharpe qui protégeait son visage en s'engageant dans le petit escalier menant au marché souterrain de Klarabergsgatan. Comme partout en Suède, les éventaires étaient d'une propreté méticuleuse contrastant avec l'allure de ceux qui les tenaient. Libanais, Iraniens, Estoniens, Kurdes comme lui et même des Turcs et des Irakiens. Un festival moyen-oriental.

Il passa deux fois, lentement, devant l'éventaire d'un boucher, un Kurde irakien. La troisième fois, un homme sortit de l'arrière-boutique et s'approchant de lui, l'étreignit.

— Adnan, tu es revenu !

— Hier, Huseyon, fit le Kurde.

Depuis des années, Adnan Candenir voyageait. Né dans le Kurdistan soviétique, il avait été recruté très jeune et enrôlé par le KGB dans le PKK, le parti indépendantiste kurde, manipulé par les Soviétiques. Il avait traîné dans les camps de l'Asala, en Syrie et commis des attentats un peu partout au Moyen-Orient. La plupart du temps, il se cachait en Union Soviétique. Son rôle était simple : éliminer les dissidents de PKK et les traîtres où qu'ils se trouvent...

Dès qu'on le voyait apparaître quelque part, on savait que le sang allait couler.

Huseyon, son interlocuteur, le regarda en souriant.

— Tu as l'air en forme.

Seule la moustache bien taillée d'Adnan était parsemée de quelques poils gris. Il portait les cheveux courts, les oreilles dégagées, était toujours vêtu d'un gros blouson, d'une écharpe et de jeans. Il avait peu de vie privée, se contentant des putains d'Odessa et de brèves aventures. Tout l'argent qu'il gagnait servait à l'éducation de ses trois frères à l'Université Lumumba de Moscou...

— Tu as reçu quelque chose pour moi de Finlande ? demanda-t-il.

Son coréligionnaire s'épanouit.

— C'est arrivé ce matin par le bateau d'Helsinki. Viens.

Ils gagnèrent l'arrière-boutique où le boucher ouvrit la porte de sa chambre froide. Il en sortit une carcasse de bœuf protégée par un épais plastique, en la faisant coulisser sur un rail. Avec un grand couteau, il éventra le plastique, découvrant un gros paquet enveloppé de papier kraft coincé entre les côtes de l'animal. Il l'arracha de sa cache et le tendit à Adnan.

— Attention, c'est lourd.

Adnan Candenir défit le paquet. Il contenait deux pistolets-mitrailleurs Suomi, avec cinq chargeurs chacun et un carton de douze grenades. Il en sortit une et l'examina. C'était un engin au phosphore de l'armée finlandaise dont les numéros d'identification avaient été effacés à la meule... En Finlande, on trouvait toutes les armes qu'on voulait, à des prix raisonnables. Même vieilles de plusieurs années, elles étaient en parfait état.

— Je te mets ça là-dedans.

Huseyon avait déplié un sac de toile bleue où il entassa les armes. Adnan Candenir alluma une cigarette. Il n'aimait pas l'odeur de la viande rouge et avait hâte de retrouver le sud de la Russie. Il prit le sac, embrassa Huseyon et ressortit dans le marché, flânant comme s'il faisait ses courses. Son ami ne savait même pas où il habitait et cela valait mieux. Plus on était cloisonné, plus cela diminuait les risques...

Dix minutes plus tard, il était en contemplation devant un monceau de charcuterie estonienne, quand on lui tapa sur l'épaule. Un grand blond souriant avec une casquette qui lui dit en russe :

— Notre ami Urmas t'envoie son meilleur souvenir.

Adnan Candenir ne connaissait pas cet homme, mais savait qu'il devait être contacté là par un agent du major Urmas Orek, responsable estonien du département S.

— Merci, fit-il mécaniquement.

— Tu veux une petite saucisse ? demanda son interlocuteur.

Adnan, qui n'aimait pas les saucisses, accepta, et se mit à mastiquer debout, attendant la suite. L'envoyé du major Orek loucha sur son sac bleu.

— Tu as trouvé ce que tu voulais au marché ?

— Ça va, dit Adnan Candenir.

— Où vas-tu habiter cette fois-ci ?

— Comme d'habitude, fit le Kurde, chez la vieille Carsina, à Rinkeby.

L'autre recracha la peau de la saucisse, et sortit de sa poche un ticket rose qu'il glissa dans la main d'Adnan.

— Tiens, tu as ton rendez-vous au cinéma Kyrko ; à la séance de quinze heures. Ce n'est pas celle que je voulais, mais elle est juste derrière. Cela ira. Ton contact a la place W 10. OK ?

— OK, fit Candenir.

En Suède, les places de cinéma étaient numérotées, comme pour le théâtre et on les achetait à l'avance.

— Très bien. Je t'appellerai. Je m'appelle Vitaly.

Ils ne se serrèrent pas la main. Adnan Candenir fit encore deux fois le tour du marché au milieu des ménagères suédoises et regagna la surface pour rejoindre le café *Repert*. Il prit une table près du combiné téléphonique accroché au mur, face à l'escalier et commanda un J and B. Il n'y avait presque pas de Suédois ici, rien que du « basané » et quelques mémères en quête d'émotions fortes.

C'était aussi le centre de tous les trafics clandestins de Stockholm. Une demi-heure plus tard, un homme monta l'escalier, moustachu, velu, trapu, presque chauve, le visage rond et affable. Il rejoignit Adnan Candenir et s'installa en face de lui.

— Tu voulais me voir ?

— Oui.

— Tu as besoin de quelque chose ?

— Oui.

— Quoi ?

— Tu as des « 357 Magnum » ?

L'arme la plus courante en Suède. Il y en avait des milliers dans tous les clubs de tir. L'homme au visage rond ne cilla pas.

— Je peux en avoir. C'est cher.

— Combien ?

— Au moins huit mille couronnes...

Adnan ne broncha pas.

— Il m'en faut trois, à six mille couronnes. Pas de numéro et cinquante cartouches par arme. Pour demain, six heures ici. Je viens avec l'argent.

Sans même boire son J and B, il se leva et redescendit l'escalier. Il n'aimait pas s'éterniser là où les mouchards de la Säpo traînaient un peu trop à son goût... Certes, les policiers suédois savaient qui il était mais il y avait un gentleman's agreement entre eux et le PKK. Tant que les Kurdes ne commettaient pas d'attentats en Suède, on fermait les yeux sur leur présence. Deux ans plus tôt, Adnan Candenir avait bien éventré un traître et jeté son corps dans la Baltique, mais on n'avait rien pu prouver...

Son sac à bout de bras, il se mêla à une queue qui attendait un bus pour Rinkeby. Avant de prendre son prochain contact, il devait mettre les armes en lieu sûr.

Lee Updike arriva en courant en face du cinéma Kyrko où on jouait *Emmanuelle*, un point au côté et le souffle coupé par le froid. Natalja Kippar était seule devant l'entrée, sa casquette violette enfoncée jusqu'aux yeux. C'est elle qui avait pris les billets. Leur rencontre était prévue depuis la veille, ainsi que le déjeuner décommandé par elle.

— Dépêche-toi, dit-elle, cela va commencer.

Elle prit Lee Updike par le bras, dissimulant son irritation. Elle tenait absolument à entrer dans la salle avant que la lumière ne s'éteigne.

L'ouvreuse les plaça à l'avant-dernier rang, Natalja inspecta le siège à côté d'elle et fut submergée d'une vague de contrariété. Il était occupé par un homme au visage sévère, qui ne pouvait en aucun cas être celui qu'elle attendait. Elle regarda alors autour d'elle et découvrit, au moment où la lumière s'éteignait, un homme de type oriental, le visage barré d'une moustache, assis sur un strapontin collé au mur, juste derrière son siège.

Ils eurent le temps d'échanger un bref regard avant que l'obscurité ne se fasse.

Lee Updike n'avait jamais vu *Emmanuelle*. Il fut d'abord émerveillé par les paysages de la Thaïlande puis troublé par l'érotisme des images. Son sang se rua dans ses artères durant la scène où Emmanuelle se faisait prendre sur son siège d'avion, par un voisin inconnu. Juste à ce moment, Natalja se pencha vers lui.

— Tu aimes ?

Timidement, il posa la main sur sa cuisse. Il déglutit et approuva de la tête. Tout le sang de son corps semblait s'être réfugié dans son sexe. Il se tortilla, mal à l'aise sur son siège et la main de Natalja heurta, lui sembla-t-il par inadvertance, son érection qui déformait son pantalon. Lee eut l'impression qu'on le brûlait. Les soupirs de l'hé-

1er prix :
Cinq millions de centimes (50 000 F) en espèces.

2e prix :
Un voyage KUONI pour 2 personnes – SAFARI "Belle époque – l'esprit des pionniers" (avion Paris-Nairobi-Paris – petit déjeuner américain à Nairobi – pension complète) d'une valeur de 23 500 F.

3e prix :
Un voyage KUONI pour 2 personnes – Circuit "Charme et traditions" à CEYLAN (avion Paris-Colombo-Paris – pension complète) d'une valeur de 20 000 F.

4e prix :
Un téléviseur 55 cm AKAI – type CTF 211 Pal/Secam, d'une valeur de 6 000 F.

5e prix :
Un téléviseur 40 cm AKAI – type CTF 402 Pal/Secam, d'une valeur de 5 000 F.

6e et 7e prix :
Une chaîne HI-FI portable laser SAMSUNG type PCD 1000, d'une valeur de 4 000 F.

8e au 12e prix :
Un lecteur de cassettes vidéo VHS Secam SAMSUNG type VL 910, d'une valeur de 3 000 F.

13e prix :
30 bandes vidéo vierges – type E 180, pour une valeur de 1 500 F.

14e prix :
Un radio cassettes stéréo SAMSUNG – type W 48, d'une valeur de 1 000 F.

15e prix :
20 bandes vidéo vierges – type E 180, pour une valeur de 1 000 F.

16e au 18e prix :
Un appareil photo KONIKA – 35 mm type TOMATO, d'une valeur de 600 F.

19e au 500e prix :
10 volumes réunis sous emboîtage "TOUTE LA CUISINE DE MICHEL OLIVER" d'une valeur de 580 F.

REGLEMENT DU CONCOURS
GERARD DE VILLIERS - PLON

Article premier – La LIBRAIRIE PLON et GÉRARD DE VILLIERS organisent du 1er mai 1987 au 31 août 1987 un concours intitulé "CONCOURS GÉRARD DE VILLIERS – PLON" réservé aux ressortissants de langue française résidant en France, Suisse et Belgique, à l'exclusion de tout autre pays, ainsi que des membres du personnel de la Librairie Plon et du personnel attaché à Gérard de Villiers.

Art. 2 – Ce concours ne comporte pas d'obligation d'achat. Pour y participer les concurrents devront remplir intégralement le bulletin-réponse qu'ils trouveront dans les livres et chez leur libraire ou dépositaire de livres. Les réponses adressées sur tout autre support ne seront pas acceptées ainsi que les bulletins envoyés sous enveloppe. Un seul bulletin sera accepté par foyer et par famille (même nom, même adresse) sous peine de nullité.

Art. 3 – Les bulletins-réponses devront être adressés à la LIBRAIRIE PLON – CONCOURS GÉRARD DE VILLIERS, 8, rue Garancière 75285 Paris Cedex 06, avant le 31 août 1987, le cachet de la poste faisant foi. Tout bulletin illisible, incomplet ou raturé sera éliminé.

Art. 4 – Pour gagner, il faudra répondre aux 15 questions figurant sur le bulletin. Les bulletins seront classés dans l'ordre du nombre des meilleures réponses ; en cas d'ex aequo, un tirage au sort effectué en présence de l'huissier départagera les lauréats.

Art. 5 – Le concours est doté des prix suivants :

1er prix : Cinq millions de centimes (50 000 F) en espèces.

2e prix : Un voyage KUONI pour 2 personnes – SAFARI "Belle époque – l'esprit des pionniers" (avion Paris-Nairobi-Paris – petit déjeuner américain à Nairobi – pension complète pendant le safari) d'une valeur de 23 500 F.

3e prix : Un voyage KUONI pour 2 personnes – Circuit "Charme et traditions" à CEYLAN (avion Paris-Colombo-Paris – pension complète) d'une valeur de 20 000 F.

4e prix : Un téléviseur 55 cm AKAI – type CTF 211 Pal/Secam, d'une valeur de 6 000 F.

5e prix : Un téléviseur 40 cm AKAI – type CTF 402 Pal/Secam, d'une valeur de 5 000 F.

6e et 7e prix : Une chaîne HI-FI portable laser SAMSUNG type PCD 1000, d'une valeur de 4 000 F.

8e au 12e prix : Un lecteur de cassettes vidéo VHS Secam SAMSUNG type VL 910, d'une valeur de 3 000 F.

13e prix : 30 bandes vidéo vierges – type E 180, pour une valeur de 1 500 F.

14e prix : Un radio cassettes stéréo SAMSUNG – type W 48, d'une valeur de 1 000 F.

15e prix : 20 bandes vidéo vierges – type E 180, pour une valeur de 1 000 F.

16e au 18e prix : Un appareil photo KONIKA – 35 mm type TOMATO, d'une valeur de 600 F.

19e au 500e prix : 10 volumes réunis sous emboîtage "TOUTE LA CUISINE DE MICHEL OLIVER" d'une valeur de 580 F.

En aucun cas, le lot offert ne pourra être échangé contre sa valeur en espèces.

Validité des voyages : du 30 novembre 1987 au 29 février 1988.

Art. 6 – Les résultats seront proclamés le 31 octobre 1987.

Art. 7 – La LIBRAIRIE PLON et GÉRARD DE VILLIERS ne sauraient être tenus pour responsables pour tout retard et avaries dus à la poste et au transport ; de même la LIBRAIRIE PLON et GERARD DE VILLIERS se réservent le droit de modifier, d'écourter et d'annuler le présent concours si des circonstances imprévues l'exigent.

Art. 8 – Les gagnants des 18 premiers prix seront avisés avant le 31 octobre 1987. Les autres prix seront envoyés avant le 31 janvier 1988.

Art. 9 – La participation au concours implique l'acceptation pleine et entière du présent règlement qui a été déposé, ainsi que les réponses aux questions posées, chez Maître Jaunatre, Huissier de Justice à Paris.

Art. 10 – Tout litige pouvant découler du présent concours sera tranché par la Direction de la LIBRAIRIE PLON.

QUESTIONS CONCOURS
GERARD DE VILLIERS – PLON

Cochez la case correspondante

SAS n° 4 – SAMBA POUR SAS. *Quel est le nom du correspondant de la CIA employé par Alvaro Cubna?*
☐ Gustavo Orrico.
☐ Alvaro Barra. ☐ Bob Jaguari.

SAS n° 13 – L'ABOMINABLE SIRENE. *Quelle est l'adresse du Consul américain à Copenhague?*
☐ Strandvägen. ☐ Dag Hammarskjöld Allee.
☐ Bygdö Allee.

SAS n° 15 – LA PANTHERE D'HOLLYWOOD. *Quel est le surnom donné au véhicule de fonction du shérif de Beverly Hills?*
☐ Bel Air Patrol. ☐ Buggy Police.
☐ Squad Sheriff.

SAS n° 19 – CYCLONE A L'ONU. *Quel est le nom de la section du FBI chargée des mouvements subversifs?*
☐ Blue Squadron. ☐ Red Quartet United.
☐ Red Squad.

SAS n° 27 – SAFARI A LA PAZ. *Quel est le nom du quotidien de La Paz?*
☐ La Presencia. ☐ Corriere Journal.
☐ Oggi Journal.

SAS n° 38 – LES OTAGES DE TOKYO. *Quel est la discothèque dont le bar est tapissé de vieux "78 tours"?*
☐ Black Cat.
☐ American Tokyo Club. ☐ Sunset Bar.

SAS n° 52 – PANIQUE AU ZAIRE. *Comment les Zaïrois appellent-ils dans leur langage la farine de manioc?*
☐ Bumbaschi.
☐ Tchiwange. ☐ Bujumbura.

SAS n° 60 – TERREUR A SAN SALVADOR. *Comment appelle-t-on à San Salvador le groupe dirigé par Chacon?*
☐ La Mano Blanco. ☐ The White Hand.
☐ The White Warrior.

SAS n° 68 – COMMANDO SUR TUNIS. *Quel est le nom de l'opposant marxiste au régime de Bourguiba?*
☐ Fahd Belkacem. ☐ Leila Kadouni.
☐ Salah Ben Ribai.

SAS n° 74 – LES FOUS DE BAALBECK. *Quel est le nom du chef de station de la CIA à Baalbeck?*
☐ Robert Carver. ☐ Bob Anderson.
☐ Ralph Schultz.

SAS n° 76 – PUTSCH A OUAGADOUGOU. *Quelle est l'adresse de l'hôtel Kilimandjaro à Ouagadougou?*
☐ Avenue Yennenga. ☐ Allée Sultan Hamud.
☐ Avenue Loitokitok.

SAS n° 79 – CHASSE A L'HOMME AU PEROU. *Où se trouve le cinéma El Pacifio?*
☐ Rue Salvator Varga. ☐ Avenue des Senderos.
☐ Avenue Pardo.

SAS n° 86 – LA MADONE DE STOCKHOLM. *Quelle est la nationalité de Natalya Kippar?*
☐ Estonnienne. ☐ Russe.
☐ Suédoise.

LE CORSE n° 1 – ON VA TUER JOSEPHA. *Quel est le nom de la personne qui a kidnappé Josepha?*
☐ Elisabeth Picard. ☐ Stéphane Lomond.
☐ Christian Michaud.

L'AVENTURIER n° 1 – JE FAIS MAIN BASSE SUR LES DIAMS' DES PAPOUS. *Comment dénomme-t-on en argot anglais les voyous de Port Moresby?*
☐ "Hooligan". ☐ "Rascals".
☐ "Blackguard".

EXPÉDITEUR

Nom ______________________ Prénom ______________________

Adresse ____

☐☐☐☐☐ Code postal Ville ______________________

Signature

Timbre

LIBRAIRIE PLON
Concours Gérard de Villiers
8, rue Garancière
75285 Paris Cedex 06

roïne sur l'écran devenaient de plus en plus rauques. Les doigts de Natalja le serrèrent brièvement, puis se retirèrent. Elle murmura à son oreille :

— Tu n'as pas honte ?

Il avait horriblement honte. Et encore plus quand les doigts revinrent le masser légèrement. Il poussa un cri étranglé puis explosa avec une secousse de tout son bassin.

Le voile noir.

Natalja ôta vivement sa main et se pencha à son oreille.

— Oh pardon ! Je ne l'ai pas fait exprès.

Il ne savait plus où se mettre, mais personne ne risquait de s'apercevoir de son incartade. Les spectateurs, presque tous des hommes, étaient glués à l'écran. Natalja reprit une attitude plus distante. Inutile de provoquer un scandale... Peu après, elle sentit une présence dans son dos.

Elle se retourna, vit une silhouette debout derrière son siège et le strapontin du moustachu vide. Soudain, une main se posa sur son épaule et descendit doucement jusqu'à sa poitrine, emprisonnant un sein à travers le lainage du pull ! Une vague de fureur la balaya. Elle avait insisté pour un contact discret. L'homme devait l'identifier d'après sa place au cinéma, la suivre et attendre qu'elle soit seule pour se manifester ! Si Lee Updike s'apercevait de son manège, il allait faire un esclandre. Du coin de l'œil, Natalja regarda le jeune Américain. Le souffle court, il avait les yeux rivés à l'écran. Où c'était de nouveau l'orgie...

D'un geste volontairement calme, elle envoya la main derrière elle dans l'intention de le repousser. Ses doigts rencontrèrent à la hauteur de sa nuque quelque chose de chaud et de dur. Il lui fallut quelques fractions de seconde pour comprendre que c'était le sexe du moustachu qui se dressait juste derrière sa tête ! Son cerveau lui dit de retirer sa main instantanément. Mais une force puissante la poussa au contraire à refermer les doigts autour d'une colonne de chair qui lui parut énorme.

Elle la coulissa entre ses doigts. L'inconnu avait abandonné sa poitrine. Il se masturbait dans sa main. Un membre qui devait mesurer vingt centimètres et dont elle faisait à peine le tour. Ses doigts coururent dessus, trouvèrent le gland encore plus énorme et brûlant. Elle se dit qu'il allait jouir, inonder ses cheveux et retira vivement la main. Sans s'en rendre compte, elle s'était affalée dans son siège le cœur battant, la gorge sèche, et la main de Lee Updike était maintenant plaquée sur son sexe. Lee était si excité qu'il ne prêtait aucune attention au manège du moustachu. Elle poussa un gémissement et Lee crut qu'il en était la cause. Il se faufila sous la mini de cuir et fourragea dans son entrecuisse, écartant le nylon du slip et trouvant un sexe inondé. Ce qui le projeta au septième ciel. Natalja se tortilla sous ses doigts et son bassin se détendit, comme elle éprouvait un violent orgasme... Le sexe dressé derrière sa tête lui frôlait la nuque d'une caresse brûlante. Il s'éloigna soudain. Instinctivement, elle tourna la tête, vit l'inconnu se rajuster et se diriger sans se presser vers un panneau lumineux marqué « Toalett ».

Natalja écarta la main de Lee Updike crispée sur son sexe.

— Attends, je reviens ! dit-elle d'une voix rauque.

Elle prit le même chemin, le cœur cognant contre ses côtes, les jambes flageolantes et déboucha dans un couloir mal éclairé. L'homme était là. Elle le détailla. Une moustache poivre et sel, des dents très blanches, des yeux profonds, des traits réguliers. Puis ses yeux se posèrent sur la protubérance énorme de son jeans. Leurs regards se croisèrent.

— Vous êtes fou ! dit-elle à voix basse. Vous deviez attendre que...

Sans un mot, le moustachu la prit par l'épaule et la poussa vers la porte marquée « Herrar »... Il se retourna, verrouilla et d'un geste volontairement lent, fit descendre le zip de son jeans. Il n'avait pas prémédité son geste osé, mais les images violemment érotiques du film l'avaient mis en appétit. Pourquoi ne pas joindre l'agréable à l'utile...

Son sexe était encore plus impressionnant que dans le noir, Natalja Kippar en eut les jambes coupées... Un centaure.

Il la plaqua contre le lavabo, glissa une main sous sa jupe de cuir, trouva l'élastique du slip et tira d'un geste habile, faisant descendre le nylon le long de ses jambes, puis de ses bottes... Il avança ensuite un genou, ouvrit les cuisses de Natalja, força son sexe contre elles. Elle eut la brève sensation d'une boule dure, énorme et brûlante qui pesait à l'entrée de son ventre et se sentit ouverte en deux.

— Ah !

Elle ne put retenir son cri. Le membre monstrueux l'avait violée d'une poussée continue, irrésistible, l'emplissant comme jamais personne ne l'avait fait. Il demeura quelques instants immobile en elle, laissant les parois dilatées s'habituer. Le Kurde n'avait pas changé d'expression. Natalja tremblait. Secouée de spasmes, coulant sur lui ; elle avait l'impression d'être empalée jusqu'à la gorge. Deux mains se refermèrent sur ses hanches et il se mit à marteler son ventre rapidement, avec ce qui lui semblait être un manche de pioche, ressortant presque entièrement chaque fois et s'y enfonçant à nouveau d'un puissant coup de hanche.

Quand il émit un grognement, le regard brusquement vitreux et qu'elle sentit un flot brûlant se déverser en elle, le plaisir devint extase et elle crut s'évanouir. Elle dut s'accrocher à son partenaire pour ne pas tomber. Il se retira d'un coup de rein souple, encore énorme, et demanda en russe, avec un demi-sourire :

— Tu es Natalja ?

Elle murmura un *da* mourant.

Il accentua son sourire, montrant des dents éblouissantes et continua dans la même langue :

— J'avais pour instruction de te contacter de la part de Urmas Orek. Je ne savais pas que ce serait aussi agréable.

— Où est-ce que je peux te joindre ? demanda-t-elle.

— A ce numéro, dit-il. Je suis à ta disposition.

Il sortit de sa poche un bout de papier et le lui tendit.

— Tu demandes Adnan, c'est tout. Appelle d'une cabine.

Son sexe s'était un peu dégonflé. Il le remit dans son jeans et sortit avec un sourire, laissant Natalja retrouver ses esprits. Elle en avait le vertige. Jamais de sa vie, elle n'avait éprouvé cette sensation. Son sexe en palpitait encore. Elle remit son slip, se recoiffa et regagna la salle.

Lee Updike lui prit aussitôt la main dans le noir.

— Je crois que je suis amoureux de toi, murmura-t-il.

Natalja se pencha à son oreille.

— Moi aussi.

CHAPITRE X

La neige était arrivée pour de bon.

A travers la fenêtre de son bureau, le colonel Viktor Indusk contemplait, l'angoisse au ventre, les gros flocons qui tombaient en tourbillons nonchalants et drus, donnant à l'énorme building gris du *Svenska Dagbladet* un aspect irréel. Pourvu que le temps ne se refroidisse pas trop vite !

Il sonna Mariana, sa secrétaire, et lui lança :

— A partir d'aujourd'hui, je veux deux bulletins météo par jour.

Comme si cela pouvait conjurer le sort... Pour se changer les idées, il décida d'aller commander chez NK un meuble en laque prestigieux de Claude Dalle qui servait de bar, de télé, de chaîne hifi, absolument superbe que son chef, le général Sakharov lui avait réclamé pour son bureau de Moscou.

Malko mâchonnait ses œufs brouillés dans la « breakfast-room » du *Grand Hôtel*, regardant tomber la neige. Frustré et tendu. La veille au soir, Natalja avait décommandé leur dîner, prétextant une immense fatigue. Il n'avait pas réussi à lui arracher un autre rendez-vous précis et avait dîné dans sa chambre d'un sandwich... Un groom apparut, brandissant un tableau noir avec son nom : on le demandait au téléphone.

La voix de Juri Maran était étouffée, comme filtrée par la neige.

— Notre ami Lembit veut vous voir.

— J'y vais, dit Malko.

La neige ralentissait encore la circulation, déjà freinée par des feux qui duraient un siècle. Il mit trente minutes pour arriver à la colline des HLM où vivait le vieil Estonien... Ce dernier lui ouvrit en pantoufles, l'œil bleu et malin, sec comme un sarment. Les tasses de thé et les petits gâteaux étaient au rendez-vous.

— Vous avez appris quelque chose sur Natalja Kippar ? demanda Malko.

Le vieux criminel de guerre hocha la tête, énigmatique.

— Peut-être.

Il but une gorgée de thé et annonça :

— Natalja Kippar est née à Tartu dans une famille de fonctionnaires. Elle a appris le russe comme tout le monde et a même fait un stage universitaire, à Moscou, mais c'est courant. Nous sommes un pays occupé, russifié.

— Et ensuite ?

— Elle a arrêté ses études, car elle voulait devenir chanteuse. Elle a travaillé d'abord comme disc-jockey à Radio-Tartu, puis s'est fait engager comme chanteuse dans un cabaret pour touristes. C'est là qu'elle a rencontré le Finlandais qui l'a épousée. Sa mère se trouve toujours en Estonie, à Tallin.

Malko était déçu.

— Tout cela est normal, remarqua-t-il.

Les yeux du vieil Estonien se plissèrent, dans un sourire rusé.

— Certes ! Mais il y a plus étonnant. Natalja avait un amant qui l'a beaucoup aidée à trouver son premier travail, Boris London. Un ingénieur du son, neveu d'un général du KGB estonien.

— Et vous pensez que...

L'autre eut un geste évasif.

— L'expérience nous a appris à nous méfier... Cet homme est soupçonné d'être un agent du KGB, mais il n'y a aucune preuve.

C'était mince. Malko se dit que la paranoïa des émigrés pouvait jouer des tours. Tous les parents d'agents du KGB n'étaient pas des espions.

— C'est tout ?

— Non. Sa mère a obtenu facilement un appartement à Tallin, la capitale, dans un quartier résidentiel, ce qui est pratiquement impossible, sauf si vous appartenez à la Nomenklatura. Or, c'est une retraitée dont la fille est dissidente... C'est bizarre.

Devant le scepticisme de Malko, le vieil Estonien ajouta :

— Le dernier point est le plus curieux. On m'a juré que Natalja Kippar avait rendu visite à sa mère à plusieurs reprises. Si c'est vrai, cela signifie qu'elle travaille pour le KGB, sans cela, elle n'aurait jamais eu de visa...

— Comment le savez-vous ?

Lembit Fuchs eut un sourire mystérieux et évasif.

— Nous avons des amis partout qui nous racontent tout.

C'était plus sérieux, mais difficile à prouver. Natalja avait pu partir d'un autre pays que la Suède et ce n'était pas les services d'immigration estoniens qui allaient l'aider...

— Vous pensez donc que Natalja Kippar est une fausse dissidente ? demanda-t-il.

Lembit Fuchs eut un geste de protestation.

— Je n'ai pas dit cela. Il y a des indices, ils peuvent être trompeurs. Les gens racontent parfois n'importe quoi... Mais nous avons eu d'autres cas.

Malko éprouvait une sensation de malaise. Les

« révélations » du vieil Estonien confirmaient ses doutes sur Natalja Kippar. Il était de plus en plus persuadé que l'opération du KGB contre Lee Updike était à la base du ballet des deux femmes. Cela ressemblait assez aux Soviétiques : ils aimaient bien contrôler les deux aspects d'une situation. Mais, dans ce cas, laquelle, de Natalja ou d'Ingrid, porterait l'estocade ?

Plongé dans ses pensées, plus perplexe que jamais, il prit congé de Lembit Fuchs. Il fallait creuser encore plus le passé de Natalja Kippar. Une seule personne pouvait l'y aider : Olli Karhula, son ex-mari.

***

Olli Karhula ferma son émetteur-radio. Soudain, cela ne l'amusait plus.

Il n'avait pas d'amis à Stockholm et les week-ends lui paraissaient toujours interminables. Aussi, il travaillait souvent le samedi. Là, il venait de passer cinq heures à son bureau, à côté d'un télex muet.

Il regarda la bouteille de Bordeaux qu'il avait achetée pour passer son dimanche, se demandant s'il allait l'entamer tout de suite. Mais les magasins d'état, les seuls autorisés à vendre de l'alcool en Suède, étant fermés jusqu'au lundi matin, il ne pourrait la remplacer.

Alors, il pensa à Natalja. D'ailleurs, il y pensait sans cesse. Il regarda le téléphone. Lorsqu'il l'appelait, il ne pouvait prévoir sa réaction. Parfois, elle lui raccrochait au nez. D'autres fois, elle acceptait de bavarder un peu. Une fois même, elle avait consenti à déjeuner avec lui et il avait laissé la moitié de son salaire en vin français, dont elle raffolait.

Cette fois, son déjeuner de la veille avec le

journaliste lui donnait un excellent prétexte pour téléphoner.

Natalja décrocha à la cinquième sonnerie. Olli Karhula éprouva comme chaque fois un choc délicieux au son de sa voix. Toujours implacablement douce.

— Allô ?

— C'est moi, annonça-t-il d'une voix hésitante.

— Qu'est-ce que tu veux ?

La voix des mauvais jours. Elle allait raccrocher. Il se précipita :

— J'ai vu quelqu'un qui te connaissait, hier.

— Qui ?

— Un journaliste étranger, autrichien, je crois. Il était intéressé par notre histoire. Il fait un reportage sur les dissidents...

Elle lui coupa la parole.

— Comment s'appelle-t-il ?

— Linge, je crois.

— Qu'est-ce que tu lui as dit ?

— Pas grand-chose.

Il y eut un petit silence, puis Natalja Kippar proposa, d'une voix beaucoup plus douce :

— Veux-tu qu'on dîne ce soir ensemble ? Tu me raconteras.

Dîner ! Olli Karhula n'en croyait pas ses oreilles. Cela n'était *jamais* arrivé depuis leur séparation !

— Bien sûr, bien sûr, dit-il, bégayant d'enthousiasme. Je passe te prendre ?

— Non, retrouvons-nous au *Strömsborg*, à sept heures...

Olli Karhula raccrocha, les mains moites d'excitation. Il avait le temps d'aller chez le coiffeur et au sauna. Ensuite, une permanence à assurer à son bureau de quatre à six, et enfin, Natalja. La joie.

*
**

Allongé sur son lit, Adnan Candenir regardait une bande dessinée vaguement cochonne qui avait échappé à la censure. Depuis longtemps, le socialisme avait tué l'érotisme en Suède. Plus de live-shows et seulement quelques sex-shops minables dans le centre. Le dernier carré de putes finlandaises rôdaient dans Maximsgatan, dès qu'elles avaient épuisé l'allocation que le gouvernement leur versait. La voix de sa logeuse le fit sursauter.

— Adnan, téléphone !

Il sauta du lit, remit ses bottes. L'appareil se trouvait dans le couloir du rez-de-chaussée. Le combiné pendait le long du mur, décroché. Il le prit et entendit une voix qu'il connaissait.

— Rendez-vous au restaurant *Baikal* dans une heure.

***

Malko composa le numéro de Juri Maran. Une voix inconnue lui répondit en mauvais anglais que Juri était sorti et qu'il rentrerait tard. Malko laissa néanmoins un message demandant de le joindre d'urgence au *Grand Hôtel.* Après son rendez-vous avec Lembit Fuchs, il s'était rendu chez Olli Karhula et avait trouvé porte close. Il n'avait pas pensé à demander son téléphone à Juri et il ignorait où le Finlandais travaillait. Or, il avait de plus en plus envie de lui parler. Peu à peu, le puzzle se mettait en place dans sa tête et ce n'était pas rassurant... Il regarda le ciel sombre et le manteau blanc qui recouvrait Stockholm. La vie semblait s'être arrêtée, entre le week-end et les premières neiges. Lee Updike devait être calfeutré au *Lord Nelson,* enjeu d'une lutte formidable et souterraine. Dire qu'il avait gagné ce pays pour y avoir la paix...

Sa compagne, Leslie Manson, y avait déjà

trouvé la mort et lui n'avait comme avenir qu'un kidnapping ou pire...

Il descendit au bar où une foule animée se bourrait d'alcool pour fêter l'hiver.

Pas même une jolie femme.

Il décida de retourner chez Olli Karhula.

Sa voiture n'était plus d'une boule de neige. Quand il voulut la faire démarrer, elle émit un triste couinement puis demeura muette. Encore une victime de l'hiver... La neige avait brutalement cessé et la température était tombée de dix bons degrés en quelques heures.

Retournant à l'hôtel, il réclama un taxi ; le portier lui annonça alors que le samedi soir, ils étaient tous retenus par les gens décidés à s'imbiber d'alcool. La police suédoise étant féroce pour les conducteurs ivres...

Il n'y avait plus qu'à partir à pied... Olli Karhula habitait de l'autre côté de la gare dans l'île de Kungsholmen, à deux kilomètres. Les trottoirs étaient horriblement glissants et déserts. En face du *Café Opéra,* une queue s'allongeait dans un froid sibérien.

Sous l'éclairage tamisé des lampes à abat-jour du *Strömsborg,* Natalja semblait encore plus belle. La jeune femme portait sa minijupe de cuir noir et des collants qui disparaissaient dans des bottes rouges.

Situé sur la petite île de Riddarholmen, entre Stockholm nord et les quartiers sud, le *Strömsborg* était le terrain de chasse des Suédoises mariées à la recherche d'une aventure. On y dansait, face au port, dans une ambiance feutrée et un peu ringarde.

— On dirait que je te plais toujours, remarqua Natalja, avec un sourire indulgent.

Olli Karhula se tortilla, mal à l'aise. Depuis déjà

une heure, il aurait dû se faire sa piqûre d'insuline, mais il n'osait pas rompre le charme. La bouteille de Moet millésimé était pratiquement vide et la tête lui tournait un peu. Encouragé par le ton de son ex-femme, il s'enhardit :

— Tu veux danser ?

— Mais bien sûr.

Ils se mêlèrent aux couples qui profitaient de la piste pour lier connaissance, sans trop se soucier de la musique. Tout de suite, Natalja se laissa aller contre le grand corps un peu maladroit d'Olli. Celui-ci était dans un état second... Au contact de Natalja, il sentit son ventre s'embraser d'une façon démente. Au lieu de se reculer, elle demeura contre lui, ondulant au rythme du slow.

C'en était trop pour le Finlandais. Il se libéra avec un couinement, le corps secoué d'un spasme incoercible, mort d'humiliation. Mais Natalja ne l'injuria pas et ne se moqua pas. Elle se pencha seulement à son oreille et murmura :

— *Stari swiha* (1) !

Ils revinrent à la table. Olli avait complètement oublié sa piqûre d'insuline. Sa sacoche de cuir contenant son attirail posé sur la banquette lui rappela son régime. Natalja vit son regard et posa la main sur la sienne.

— Attends un peu.

Il obéit. Vingt minutes plus tard, Natalja annonça :

— Je vais rentrer. Je suis contente de t'avoir vu.

Olli paya, les mains tremblantes. Dehors, Natalja se pencha et l'embrassa.

— Je ne sens pas l'acétone ? demanda-t-il, inquiet. Il faut me le dire...

Lorsqu'il était au bord du coma, une forte odeur d'acétone empuantissait sa respiration.

(1) Vieux cochon ! en russe.

— Tu es parfait, affirma-t-elle. Je te raccompagne ?

*
**

Malko sonna à la porte du Finlandais. Toujours personne. L'autre avait dû sortir dîner.

Il glissa un mot sous la porte, lui demandant de le rappeler, même tard. Il n'y avait plus qu'à regagner le *Grand Hôtel.*

*
**

Olli Karhula regarda s'éloigner la Volkswagen de Natalja, encore bouleversé. Puis il se précipita vers son porche. Il fallait coûte que coûte qu'il se fasse sa piqûre. Déjà, il se sentait bizarre et sa vue se brouillait... Il traversa la cour d'un pas rapide, presque en courant. Comme il se dirigeait vers l'ascenseur, il entendit un homme pénétrer dans le hall derrière lui. Olli Karhula se retourna machinalement et tout de suite, l'autre fut sur lui.

L'inconnu lui assena brutalement une manchette sur la nuque. Ses lunettes tombèrent à terre. Il se retourna, sentit qu'on lui arrachait sa sacoche, voulut la récupérer, reçut un coup de genou dans le bas-ventre qui le plia en deux, dans une douleur fulgurante. Déjà, son agresseur s'enfuyait, emportant son insuline. Olli n'essaya même pas de le poursuivre : il pouvait à peine marcher, et n'y voyait pratiquement plus.

Il revint vers l'ascenseur, à tâtons, retrouva ses lunettes brisées, et s'engouffra dans la cabine. Heureusement que ses clefs étaient dans son manteau...

Il n'avait qu'une idée : rentrer chez lui, appeler les urgences à l'hôpital... Il n'avait plus d'insuline.

Au moment où il passait le pas de sa porte, son poignet gauche se tordit avec un angle bizarre. Il en eut la nausée. Il se transformait en chewing-gum comme disaient ses collègues de bureau... Il tomba, rampa jusqu'au téléphone, les objets devenaient flous, son cerveau, privé de sucre, commençait à avoir des ratés.

Il voulut composer le numéro de l'hôpital, mais n'y parvint pas. Soudain, tout bascula dans le noir et il resta à plat-ventre, les membres tordus ridiculement, comme un pantin désarticulé. Plongé dans un coma diabétique qui allait se terminer par la mort.

CHAPITRE XI

Malko faisait tourner lentement les glaçons dans son verre de vodka, attentif chaque fois qu'un garçon s'approchait de lui. Il avait prévenu le standard de lui transmettre les appels éventuels. Presque minuit. Le bar du *Grand Hôtel* commençait à se vider. Et aucune nouvelle d'Olli Karhula.

Trente secondes plus tard un groom blondinet poussa la porte de fer du bar avec le tableau noir portant le nom de Malko !

Celui-ci se rua à la cabine. La voix de Juri Maran l'interpella joyeusement.

— Il paraît que vous me cherchiez !

— C'est un peu tard, dit Malko, je voulais le numéro de téléphone d'Olli Karhula. Mais je lui ai laissé un message.

— Venez nous rejoindre, proposa Juri, nous sommes au *Däckahästen*, le seul restaurant qui ferme tard à Stockholm ! Je vous donnerai son numéro et nous l'appellerons ensemble.

— D'accord, dit Malko.

Il prévint le standard de lui transmettre ses messages au *Däckahästen* et monta prendre sa pelisse.

*
**

Cette fois, le voiturier du *Grand Hôtel* lui trouva un taxi. Cinq minutes plus tard, il débarquait au *Däckahästen*, seule oasis de chaleur et d'animation dans les rues désertes. Il parcourut des yeux la salle bondée et aperçut Juri Maran, à une table du fond.

Juri se précipita vers lui et l'entraîna à sa table où s'entassaient une dizaine de garçons et de filles. D'après le nombre de bouteilles vides, la vodka, le J and B et l'aquavit avaient coulé à flot.

On lui fit une place entre Juri et Lara, une beauté blonde déguisée en cosaque avec une blouse en soie à brandebourgs, un pantalon bouffant et des bottes. Elle lui adressa un regard énamouré.

Hélas, elle ne parlait qu'estonien et suédois...

— Nous fêtons l'expulsion d'un agent du KGB ! annonça Juri Maran. Un jour, nous reconquérerons notre pays !

Tous levèrent leur verre en hurlant des slogans incompréhensibles. Dans la foulée, Lara se pencha vers Malko et lui planta un baiser sur la bouche, jetant sa langue à la rencontre de la sienne. Visiblement, l'alcool ne suffisait pas à son bonheur. Ce rite accompli, Malko se tourna vers Juri :

— Vous avez le numéro d'Olli Karhula ?

— Bien sûr.

Il sortit un carnet de sa poche et lança à Malko :

— Voilà, 608218.

Malko esquissa le geste de se lever, mais Juri lui mettait déjà un verre dans la main.

— Attendez ! Il a dû partir pour le week-end.

Malko se rassit. Après tout, Olli avait son message qui lui serait transmis ici.

*
**

Une heure vingt ! Malko n'avait pas vu le temps passer. Ils étaient les derniers clients du *Däckahästen*.

— Je vais téléphoner, dit-il à Juri.

Ainsi, il en aurait le cœur net. Ce n'était pas un temps à partir en week-end. Olli Karhula ne semblait pas du type à passer ses nuits dehors, alors, pourquoi n'avait-il pas rappelé Malko ?

Lara se leva pour le laisser passer, le regard carrément vitreux.

Le téléphone se trouvait au premier, au fond d'un réduit sombre. Malko composa le numéro d'Olli. Occupé. Bon signe. Il reposa le récepteur, attendit quelques instants, puis recommença. Même résultat. Il se retourna, sentant une présence. Lara l'avait rejoint et l'observait à la porte de la cabine, une lueur trouble dans les yeux.

Avec un sourire, elle entra dans la cabine et commença à se frotter contre lui sans un mot. Puis elle lui glissa dans la bouche une langue qui semblait avoir séjourné dans un alambic, se mettant à le caresser sans vergogne. Lorsqu'elle eut atteint le résultat qu'elle cherchait, elle recula avec un sourire provocant, prit le récepteur, le décrocha et le laissa pendre au bout de son fil, puis s'affala lentement aux pieds de Malko, le visage à hauteur de son sexe. Elle balança la tête un instant, à la façon d'un serpent qui se prépare à mordre, puis sa bouche l'engloutit habilement. Malko n'en revenait pas de cette agression sexuelle exquise. Pendant quelques minutes, il oublia Olli Karhula et le « bip-bip-bip » du téléphone décroché. Lara avait tout du derrick en folie et il ne mit pas longtemps à se répandre dans sa bouche accueillante. Elle le reçut avec une sorte de hoquet, leva sur lui un regard vitreux et s'effondra doucement à ses pieds, ivre-morte. Il tenta en vain de la relever : elle dormait déjà.

Malko refit le numéro d'Olli Karhula.

Toujours le même résultat. Il appela alors le *Grand Hôtel*. Une standardiste endormie lui affirma qu'il n'avait pas eu de message... Il enjamba Lara, tassée dans la cabine et redescendit. Tous étaient en train de partir. Juri avait les yeux rouges d'alcool.

— Vous l'avez eu ? demanda-t-il.

— Non, je voudrais passer chez lui, dit Malko.

— A cette heure-ci ?

— Son téléphone est sans arrêt occupé. C'est bizarre. Il devait m'appeler et il ne l'a pas fait.

— Je vais avec vous, lança Juri avec la solennité des ivrognes.

Sans les phares du taxi, Malko n'aurait peut-être rien remarqué. Ils éclairèrent un objet sombre dans le caniveau en face de l'immeuble de brique où demeurait Olli Karhula.

Il alla le ramasser. C'était une sacoche de cuir. Il l'ouvrit et vit des seringues, des ampoules mêlées à des papiers. La trousse d'urgence d'Olli Karhula ! Une brusque poussée d'adrénaline envoya son pouls à 150. Juri Maran l'avait rejoint.

— Qu'est-ce que c'est ?

— La trousse médicale d'Olli Karhula.

Il se précipita dans l'immeuble, le jeune Estonien sur ses talons.

La porte d'Olli Karhula était entrouverte. L'angoisse de Malko monta d'un cran. Il repoussa le battant, trouva un commutateur en tâtonnant et alluma.

Olli Karhula était étendu sur le sol, le corps dans une position bizarre, les mains retournées. Malko s'agenouilla à côté de lui, défit sa veste et sa chemise, tâta le cœur, puis le pouls.

— Il est vivant ! cria-t-il à Juri. Appelez une ambulance.

Juri Maran sauta sur le téléphone et composa le numéro d'urgence de la police, puis se mit à parler d'une voix hachée par l'émotion. Malko contemplait le visage livide du Finlandais inanimé.

Que s'était-il passé ? Olli Karhula allait-il survivre ?

La chambre du service de réanimation de l'hôpital St-Eriks donnait sur un parc aux arbres couverts de neige et il y régnait une chaleur étouffante.

Olli Karhula avait encore des tuyaux enfoncés partout mais son regard n'était plus vitreux. Plus de dix heures s'étaient écoulées depuis que Juri et Malko l'avaient découvert. Il sourit à Malko et dit de sa voix placide, un peu solennelle :

— Bonjour, il paraît que vous m'avez sauvé la vie ! Je vous remercie.

Le ton compassé était toujours étonnant. Malko s'installa sur une chaise, à côté du lit.

— Que s'est-il passé ?

— J'ai été attaqué, expliqua le Finlandais. Un de ces salauds d'étrangers qui viennent nous pourrir la vie. Il a cru que j'avais de l'argent dans ma sacoche et me l'a arrachée...

— Vous l'avez vu ?

— Oui, un Arabe à moustache.

— Et ensuite ?

— Je suis remonté pour appeler l'hôpital et je suis tombé dans le coma. Je serais mort si vous n'étiez pas venu.

— Mais, demanda Malko, pourquoi ce coma est-il survenu ?

— J'étais en retard pour ma piqûre. J'avais dîné dehors. Avec Natalja ! ne put-il s'empêcher d'ajouter, la voix vibrante de fierté.

Malko eut l'impression de recevoir une douche glaciale. Encore Natalja ! Bien sûr, ce n'était qu'une coïncidence. Mais l'expérience lui avait appris que dans son métier, il y en avait rarement. Cette agression lui paraissait bizarre. Comme l'accident de Leslie Manson.

— Vous dînez souvent avec elle ?

— C'était la première fois depuis notre séparation.

Encore une coïncidence.

— Lorsque vous m'avez raconté votre histoire avec Natalja, demanda-t-il, vous n'avez rien oublié ? Il n'y a jamais eu d'incident insolite ?

Olli Karhula se ferma instantanément.

— Non.

Il tâta sa perfusion et dit de son éternelle voix placide :

— Je vais dormir un peu. Je voudrais retravailler demain.

Malko se leva. Se demandant si Olli lui disait toute la vérité et si on n'avait pas cherché à se débarrasser de lui pour qu'il ne puisse jamais révéler ce qu'il savait...

***

Le colonel Viktor Indusk était seul à la Rezidentura en ce dimanche, à part le permanencier de la Referentura. Le temps était si sombre qu'il avait été obligé d'allumer pour déchiffrer un câble arrivé de Moscou.

La signature lui donna un petit frisson : général Boris Sakharov. Le numéro deux du KGB. Celui qui tenait sa carrière entre ses mains... En dehors de lui, les autres destinataires de cette instruction hyper secrète étaient cet imbécile de major Urmas Orek et le colonel Toivo Voit à Tallin. Tous les deux en Estonie et un vice-amiral dont il ignorait les fonctions. Il lut attentivement le texte et se leva pour cocher le calendrier accroché au-dessus du bureau de sa secrétaire, représentant un champ de blé en Ukraine.

Le câble du général Sakharov donnait les dernières instructions pour la phase finale de l'opération Znanié. Viktor Indusk se rassit et alluma une cigarette, se disant que pour une fois, le Premier Directorate avait mis le paquet.

Tout reposait désormais sur lui. La confiance que lui accordait son supérieur aurait dû le remplir de joie et, pourtant, il ne pouvait s'empêcher d'éprouver une sourde angoisse. Car, lui, le responsable opérationnel, ne pouvait transmettre ses ordres directement. Cela passait par des circuits compliqués et relativement lents. Handicap terrible dans une opération aussi complexe que Znanié. Qu'il ressentait encore plus ce matin-là, après un nouvel échec du Département S.

De nouveau, il lui fallait trouver une parade, gagner du temps. Il écrivit quelque chose, le ratura, en fit une boule qu'il alla jeter dans l'incinérateur. Il devait transmettre un ordre coûte que coûte, sans laisser de trace écrite. Il décida d'utiliser une procédure réservée aux cas non-conformes.

En paix avec lui-même, il ferma la Rezidentura et gagna sa Volga, garée dans la cour de l'ambassade. Une rafale de vent glaciale le fit frissonner. La température avait encore baissé. Il jura entre ses dents. Si ça continuait, Znanié était fichu ! Hélas, il ne pouvait pas agir sur la météo.

En ce dimanche matin, la circulation était nulle, les rues bien dégagées par les chasse-neige. Les Suédois cuvaient encore leur cuite du samedi soir. Il gagna Klarabergsgatan et s'engouffra dans une galerie marchande souterraine. Au fond, il y avait un petit renfoncement où se trouvaient trois boutiques d'antiquités. L'une d'elles, spécialisée dans les icônes, était tenue par un vieux juif russe qui avait obtenu un visa de sortie d'URSS quatre ans plus tôt.

Elle était ouverte sept jours sur sept. Son propriétaire, Samuel, avait vécu un an en Israël avant de s'installer à Stockholm. Un excellent agent du KGB dont la famille demeurée en Union Soviétique garantissait la fiabilité. Il leva un œil surpris sur le colonel du KGB. Ce dernier lui rendait rarement visite.

— Tu as de nouvelles icônes, Samuel ? demanda Indusk en russe.

— Quelques-unes, grommela le vieux juif.

Ce qui signifiait que son chef pouvait parler librement.

Le colonel passa de l'autre côté du comptoir et dit à l'oreille de Samuel le message qu'il voulait transmettre. Il ressortit ensuite et continua sa flânerie.

Une demi-heure plus tard, Samuel accrocha sur sa boutique un panneau « fermé ». Il gagna en bus Norrtullsgatan. A la boutique Berjozka, Oleg accueillit Samuel avec un sourire commercial. Ce dernier acheta des œufs de saumon. De nouveau, le message fut transmis en chuchotant. Un peu avant midi, le téléphone sonna chez Natalja Kippar.

— C'est la boutique Berjozka, annonça une voix d'homme. Nous venons de recevoir du caviar pressé.

— Je vais venir, dit la jeune femme. Mettez-m'en cent grammes de côté.

*
**

Malko avait passé le reste du dimanche à ressasser les bizarreries de l'accident survenu à Olli Karhula. Le concierge du *Grand Hôtel* ayant fait dépanner sa Volvo, il prit le chemin de l'ambassade US. Kevin Hudson y passait tous ses dimanches. Ce qu'il avait à lui apprendre sur Natalja Kippar et l'attaque dont avait été victime Olli

Karhula risquait de lui faire passer une mauvaise journée...

L'Américain était seul dans son bureau, en manches de chemise, dans une chaleur de bête. Il écouta le récit de son enquête sur Natalja, visiblement sceptique.

— Ce vieux fou de Lembit Fuchs voit des agents du KGB partout, dit-il. Il est parano. Tout ce que nous avons sur Natalja est clair.

— Et l'incident Olli Karhula ?

— Coïncidence, fit Kevin Hudson.

— J'ai réfléchi, insista Malko, et j'ai parlé à Juri. Quand cette femme a tiré sur nous, il pense qu'il était visé en premier. Si c'est lui qu'on avait voulu liquider, pour nous empêcher de remonter à Olli Karhula ?

Hudson haussa les épaules.

— Vous avez vu Karhula et que savez-vous de plus ? Votre théorie ne tient pas.

— Que suggérez-vous ? demanda Malko.

— Attaquez Lee Updike de front. Racontez-lui ce que nous avons appris sur l'affaire Leslie Manson. Faites-lui peur. Et en même temps, expliquez-lui qu'il peut revenir chez nous sans casse...

Une mission-suicide. Malko n'insista pas : l'autre était buté.

Ils se quittèrent froidement. Malko revint au *Grand Hôtel.* Un message l'y attendait. Rappeler Natalja Kippar à un numéro qu'il composa immédiatement. On lui passa la jeune femme.

— Juri m'a appris qu'Olli avait eu un accident, annonça-t-elle.

Malko lui raconta l'agression dont son ex-mari avait été victime.

— Mon Dieu, je voudrais le voir, dit-elle, mais ma voiture est de nouveau en panne. Vous pouvez me conduire ?

— Bien sûr, fit Malko.

— Alors, venez me prendre au Filmhuset, après le déjeuner.

Cela lui laissait le temps d'aller voir Lee Updike. Malko gagna à pied Gamla Stan, sous un soleil brillant et un vent sibérien. La réceptionniste du *Lord Nelson* prit l'air désolé quand il demanda le jeune Américain.

— Il est parti, il y a vingt minutes.

***

Natalja Kippar attendait Lee Updike au restaurant du Filmhuset. En la voyant, le jeune Américain réalisa qu'il avait le cœur battant comme un collégien. Depuis leur flirt poussé dans le cinéma, il ne pensait plus qu'à elle, chassant de son esprit la sculpturale Ingrid et son caractère dominateur.

Son regard bleu chavira en retrouvant Natalja plus belle que jamais. Instinctivement, il se pencha vers elle et leurs bouches s'unirent pour un long baiser. Lee Updike planait. A part Leslie, il n'avait rien connu d'aussi bon.

— Attention, on nous regarde, soupira Natalja.

Personne excepté un garçon endormi... Le jeune Américain n'avait plus qu'une idée : mettre Natalja dans son lit.

— Tu veux passer la soirée avec moi ? demanda-t-il entre deux baisers.

— Impossible, je répète, dit-elle.

— Je peux te retrouver après ?

— Non, il sera trop tard...

Comme pour atténuer son refus, elle se pencha et l'embrassa, à son tour, faisant couler de la lave dans ses veines. Il murmura :

— J'ai envie de toi...

Natalja releva la tête.

— Cette semaine, j'ai un travail fou. Mais

dimanche prochain, le 14, c'est mon anniversaire! Je vais te faire une surprise.

— Je ne vais pas te voir jusque-là? demanda plaintivement Lee.

— Si, si! Appelle-moi demain, chez moi en fin d'après-midi. J'essaierai de me libérer pour le dîner. Maintenant, il faut que j'y aille...

— Je t'accompagne, proposa aussitôt Lee.

Ils descendirent ensemble la rampe extérieure et le jeune Américain poussa une exclamation agacée en voyant Malko.

— Encore lui! Il me poursuit partout.

— C'est moi qu'il vient chercher, dit Natalja, il doit me conduire à l'hôpital voir mon ex-mari qui a eu un accident.

Ils se rejoignirent. Malko était ravi de tomber sur Lee.

— Quelle bonne surprise, dit-il, je vous ai laissé un mot à votre hôtel.

— Ecoutez, fit Lee Updike d'un air excédé, je n'ai rien à vous dire.

— Sois gentil, souffla Natalja, il fait son métier.

— Bon, fit Lee Updike. Je serai à mon hôtel dans l'après-midi.

Lee Updike haussa les épaules et s'éloigna dans Valhallavägen, sans même dire au revoir. Natalja eut un sourire plein d'indulgence.

— Il est énervé parce qu'il se méfie de tout le monde.

Elle monta dans la Volvo. Tandis qu'ils descendaient Strandvägen, Natalja demanda d'un ton intrigué :

— Qu'est-ce que vous faisiez chez Olli à deux heures du matin?

— Une idée d'ivrogne de Juri, prétendit Malko. Je lui avais dit que je le cherchais.

— Ce qui est arrivé est un peu de ma faute,

soupira Natalja. Il m'avait téléphoné et j'avais accepté de dîner avec lui. Il a trop reculé l'heure de sa piqûre et il a suffi de cet incident pour le mettre en danger de mort.

— Je pensais que vous aviez rompu tout contact avec lui, remarqua Malko.

— C'est ce que je vous avais dit, admit Natalja. Olli a beaucoup souffert de notre séparation. Il ne voulait pas que l'on sache qu'il était dans la même ville que moi, pour ne pas laisser croire qu'il me poursuivait...

Les gens sont parfois si bizarres... Ce n'était pas impossible.

— Sale destin ! murmura Natalja en sortant de la chambre de l'hôpital St-Eriks où reposait Olli Karhula, pas encore remis de son coma diabétique.

Malko était resté discrètement dans le couloir. Perplexe. Les explications de Natalja étaient cohérentes.

Dans la voiture, elle alluma une cigarette :

— Olli me fait de la peine, murmura-t-elle. Il est si bon, si gentil.

Arrivée en bas de son immeuble, Natalja se tourna vers Malko, enjouée.

— Je vous offre une vodka ?

L'escalier grinçait et était mal éclairé. Natalja montait devant Malko. Elle allait arriver à son palier lorsqu'il aperçut un fil tendu en haut de la dernière marche, à quelques centimètres du sol. D'un réflexe instantané, il tira violemment Natalja en arrière.

— Attention !

Ils trébuchèrent sur les marches. Elle se releva, affolée.

— Que...

Malko montra le fil.

— N'approchez pas ! J'ai l'impression qu'on a piégé votre escalier.

CHAPITRE XII

Natalja Kippar poussa une exclamation terrifiée.

— Mon Dieu, il faut appeler la police !

— Attendez, ordonna Malko, ne bougez pas.

Il la laissa assise sur une marche et remonta jusqu'au palier, regardant soigneusement où il mettait les pieds. Puis il s'accroupit, examinant le piège. Un fil de pêche en nylon fixé à la plinthe à gauche par un clou. Il le suivit des yeux. Il se terminait dans un coin sombre du palier par une masse noire et ronde. Malko s'approcha et craqua une allumette.

Une grenade quadrillée. Le fil était enroulé autour de la goupille, l'engin étant coincé entre deux barreaux de la rampe. Si Natalja avait entraîné le fil de nylon avec son pied, il aurait arraché la goupille et la grenade aurait explosé, la déchiquetant à coup sûr... Il se releva, l'engin dans sa main et repoussa la goupille.

— Entrons chez vous.

Natalja semblait terrorisée. Ses grands yeux noirs ne quittaient pas l'engin meurtrier. Elle murmura en tournant la clef dans la serrure :

— Vous êtes sûr que cela ne peut pas exploser ?

— Certain, dit Malko, même si elle avait été doublement piégée, ce serait déjà fait.

A l'intérieur, Natalja se laissa tomber sur le lit.

— Mon Dieu ! Qui a pu faire cela ?

— Vous êtes une dissidente, le KGB ne s'est jamais occupé de vous ? demanda Malko.

— Si le KGB devait tuer tous les dissidents, fit Natalja, il passerait son temps à cela... Et puis, les Suédois sont très stricts, ils ne permettraient pas aux Soviétiques ce genre de choses. La Säpo nous demande régulièrement si nous ne sommes ni harcelés, ni menacés...

Elle se tut.

— Sans vous, je serais morte, à l'heure actuelle, fit-elle soudain.

Brusquement, elle se jeta à son cou. Une tornade. En un clin d'œil, ils furent sur le lit, emmêlés comme des serpents. Les longs cheveux noirs de Natalja se défirent. Elle haletait, embrassant Malko comme une perdue, lui murmurant des mots incompréhensibles. C'est elle qui arracha ses propres vêtements, ne gardant qu'un pull et s'acharna sur tout ce que portait Malko. Elle semblait plongée dans un état second, et cria de plaisir quand il caressa les seins dressés, sous le lainage.

— Viens, dit-elle, viens !

Elle avait de ridicules collants rougeâtres qu'il fit glisser. Une vraie gymnastique pour la débarrasser de ses bottes. Chaque fois, elle revenait à la charge, le visage extasié. Il avait l'impression de ne pas avoir assez de mains pour la satisfaire.

Lorsqu'il découvrit son sexe, il rencontra une inondation qui augmenta encore son désir. Natalja se cabra comme un pur-sang et cria, poussant ses doigts en elle. Nue, ses cheveux défaits atteignant le bas de son dos, elle était infiniment plus belle qu'habillée. Les genoux repliés, elle l'attira sur elle et poussa un cri rauque en sentant son ventre empli. Le premier élan de désir passé, il voulut pleinement profiter de la fougue de la jeune Estonienne. Par moments, son regard tombait sur la grenade par terre à côté du lit, sinistre rappel de la réalité.

Malko se retira et fit rouler Natalja sur le côté. Aussitôt, de la main gauche, elle réunit ses cheveux et les enroula autour du sexe de Malko. Elle se mit à le caresser doucement ainsi.

Sensation fabuleuse !

Au bord du plaisir, il la repoussa et la fit basculer sur le ventre. D'elle-même, Natalja se cambra comme une cavale, la tête dans ses mains. Elle le reçut avec un feulement soulagé. Son ventre semblait aspirer le sexe de Malko. Il prit son temps, entrant et sortant d'elle avec lenteur, savourant cette femelle offerte, caressant ses seins petits et fermes.

Comme si elle avait deviné ce qu'il souhaitait, Natalja avança un peu, ce qui le fit sortir de son ventre. Malko n'eut que peu de mal à trouver l'entrée de ses reins et s'y arrêta. Natalja se retourna, les yeux vitreux de plaisir.

— Doucement !

Il obéit, l'envahissant d'une poussée progressive, arrachant à Natalja un petit cri. Sa respiration était heurtée et tout son corps crispé.

Elle saisit la main de Malko et l'attira sous son ventre pour combler le vide de son sexe. Peu à peu son corps se ramollit et elle se mit à geindre doucement. Pourtant, la caresse qu'il lui prodiguait ne lui suffisait plus. Elle se retourna et murmura d'une voix rauque :

— Fouille-moi, devant ! Loin.

Il fit ce qu'elle voulait, sans cesser de prendre ses reins. Malaxant ses parois fragiles de plus en plus fort, lui arrachant des soupirs jusqu'à ce qu'elle crie :

— Oui, oui, continue, je vais jouir !

Ils explosèrent ensemble et retombèrent sur le lit, couverts de sueur. C'était autre chose que leur premier flirt du bout des lèvres. Malko sentait le cœur de la jeune femme battre à toute vitesse sous ses doigts. Elle ronronna de plaisir comme une chatte sur un radiateur. Malko, calmé, recommença à réfléchir. Lorsque Natalja s'éclipsa dans la salle de bains, il prit la grenade et l'examina. Aucune marque distinctive et le numéro avait été visiblement limé. Natalja revint, drapée dans un peignoir rouge.

— Qu'est-ce que je dois faire ? demanda-t-elle.

Malko hésitait, un peu ébranlé. A première vue, la jeune Estonienne gênait les plans du KGB. L'attentat n'était pas dirigé contre lui, puisque sa visite chez Natalja avait été improvisée.

— Rien, dit-il. La police ne trouvera pas. Tu es mêlée à une affaire qui te dépasse.

Elle s'assit à côté de lui, et il scruta son visage lisse de madone sans rien y trouver. Cet attentat arrivait vraiment à point pour diminuer les soupçons qu'il pouvait nourrir. Et pourtant, la terreur de Natalja avait paru si sincère.

— Je vais prendre contact moi-même avec la police, dit-il. Désormais, regarde où tu mets les pieds quand tu sors de chez toi...

— Tu crois que c'est à cause de Lee Updike qu'on a tenté de me tuer ?

— Ce n'est pas impossible...

Elle rejeta les cheveux qui lui tombaient dans les yeux et dit d'une voix décidée :

— Je vais cesser de le voir. Je ne veux pas mourir à cause de lui.

— Je croyais qu'il te plaisait ?

Elle secoua la tête.

— C'est vrai, je l'aime bien, mais j'ai eu trop peur. Je vais m'arranger pour ne plus le voir.

A son tour, il se rhabilla et mit la grenade dans la poche de sa pelisse. La Säpo pourrait peut-être en trouver la provenance... Natalja l'accompagna jusqu'à la porte et se pressa contre lui.

— Je ne sais pas ce qui m'a pris, murmura-t-elle. Mais j'ai eu si peur. Il a fallu que je...

Malko ne lui en voulait vraiment pas.

— Essaie de venir me voir, murmura-t-elle, je serai là tous les soirs.

Dehors, il releva le col de sa pelisse. Avec la chute du soleil, il devait faire −20 et il n'y avait pas un chat dans les rues. La grenade pesait d'un poids sinistre dans sa poche. Il se retourna malgré lui, entendant du bruit, mais ne vit qu'un ivrogne zigzaguant sur le trottoir, ne sentant même pas le froid, protégé par l'aquavit qui valait bien le thermolactyl...

A peine était-il à l'hôtel que le téléphone sonna. C'était la voix placide d'Olli Karhula.

— Je sors de l'hôpital ce soir, annonça le Finlandais. Je vous invite à déjeuner demain. Je vous dois bien ça !

Les Halles était un petit restaurant en haut de Nybrogatan, dont certaines tables dominaient un marché couvert et propret. Olli Karhula, qui adorait la cuisine française, mangeait de bon appétit, mastiquant lentement, arrosant chaque bouchée de rasades de bière.

— Olli, demanda Malko, qui est au courant de votre diabète ?

— Beaucoup de gens, dit le Finlandais. Ceux qui travaillent avec moi, les amis, les rares femmes que je rencontre. Pourquoi ?

— A cause de l'autre soir.

Comme Olli Karhula ne répondait pas, Malko laissa errer son regard en contrebas du restaurant sur les éventaires sagement rangés du marché couvert. Il se raidit en apercevant une silhouette familière.

Natalja Kippar, engoncée dans une peau de mouton, traînait devant les boutiques. D'en bas, elle ne pouvait les voir. Olli Karhula l'aperçut à son tour.

— Il faut qu'elle vienne nous rejoindre ! dit-il. Je vais aller la chercher.

Heureusement qu'il ne se doutait pas des relations exactes de Malko avec son ex-femme. Il repoussait déjà sa chaise lorsqu'il s'immobilisa. A son changement d'expression, Malko comprit qu'il se passait quelque chose. Le gros Finlandais semblait tétanisé, le regard fixe posé sur Natalja.

Celle-ci s'était assise à une table où on servait des sandwiches. Elle avait été rejointe par un homme qu'on voyait de profil. Elle venait de l'embrasser sur la bouche. Malko crut d'abord que c'était ce geste intime qui avait déclenché la réaction d'Olli Karhula. Pourtant, ils étaient divorcés depuis belle lurette...

— Vous le connaissez ? demanda-t-il.

Olli Karhula tourna vers lui un regard halluciné, plein de quelque chose qui ressemblait à du désespoir.

— Oui, dit-il, c'est l'homme qui m'a attaqué l'autre soir...

CHAPITRE XIII

Un flot d'adrénaline faillit faire éclater les artères de Malko. Il ne pouvait plus détacher ses yeux de l'inconnu. Un homme jeune de type moyen-oriental, grand, avec une moustache poivre et sel fournie. Natalja et lui discutaient, penchés au-dessus de la petite table. Olli Karhula poussa une sorte de gémissement, esquissant le geste de se lever.

— Je vais aller...

Malko lui posa la main sur le bras.

— Attendez !

Cette fois, il avait enfin un fait concret qui faisait voler en éclats la « légende » de Natalja et qui confirmait ses soupçons. Il allait l'exploiter à fond.

— Vous êtes certain que c'est lui ? demanda-t-il.

— Tout à fait ! affirma vigoureusement Olli Karhula. Je vais appeler la police et faire arrêter ce salaud d'Arabe.

— Non, dit Malko. Suivons-le.

— Mais pourquoi ?

— Vous n'avez pas été victime d'une agression ordinaire, Olli.

Le Finlandais tourna vers lui un visage plein d'incompréhension.

— Qu'est-ce que vous voulez dire ?

Il était à mille lieues de se douter de la vérité. A ses yeux, Malko était un simple journaliste.

Malko décida de prendre le taureau par les cornes.

— Je ne suis pas journaliste, Olli, dit-il, je travaille pour un service de renseignements. Natalja est mêlée à une histoire bizarre. Je vous expliquerai.

Olli Karhula était pétrifié. Son regard allait de Malko au couple dans le marché sans qu'il puisse ouvrir la bouche.

Natalja et son compagnon continuaient à bavarder. Que faisait la jeune femme avec l'agresseur d'Olli ? Malko ne se faisait guère d'illusions sur la réponse.

Le gros Finlandais retrouva soudain la parole pour lancer d'une voix étranglée :

— Il s'en va ! Il faut...

— Restez là, dit Malko. Il pourrait vous reconnaître. Je vais le suivre.

— Il faut prévenir Natalja ! lança Olli Karhula.

— Surtout pas...

Le Finlandais hésitait, traumatisé. Heureusement la jeune femme disparut par la porte opposée du petit marché. Un danger écarté. L'Arabe, lui, flânait entre les éventaires, se dirigeant vers la sortie de Nybrogatan. Malko posa deux billets de cent couronnes sur la table et lança à Olli Karhula :

— Rentrez chez vous, je vous appelle.

Il rejoignit l'interlocuteur de Natalja sur la petite place. L'un suivant l'autre, ils arrivèrent à une bouche de métro signalée par un large « T » où l'homme s'engouffra.

Une rame arriva quelques minutes plus tard et Malko monta à l'autre bout du wagon, se plongeant dans l'*Expressen* acheté sur le quai. Le cerveau en ébullition, se maudissant de ne pas avoir pris son pistolet extra-plat. Où allait le mener l'agresseur de Olli Karhula ? Quinze stations passèrent. Le métro se vidait. Finalement, l'homme qu'il suivait descendit à la station Rinkeby. Malko émergea dans un panorama de clapiers modernes, de rues tristes, balayées par le vent glacial. Peu de monde et il dut laisser l'Arabe prendre un peu d'avance... Cinq cents mètres plus loin, ce dernier entra dans un vieil immeuble de trois étages à la façade lépreuse, tranchant sur les bâtiments modernes du quartier, un panonceau délavé annonçait : « Pension — Restaurang ». Du coin de l'œil, Malko aperçut plusieurs « basanés » attablés dans un antre plutôt sinistre. Un couloir s'ouvrait sur la gauche desservant les chambres. Le toit chargé de neige semblait prêt à s'écrouler. Sa Seiko-Quartz indiquait deux heures et demie et la nuit commençait à tomber... Tandis qu'il examinait la façade de la minable pension, une fenêtre s'alluma au second étage, juste au-dessus de l'enseigne. Presque à coup sûr celui qui venait de rentrer. Malko repéra la fenêtre, continua et au bout de la rue trouva une plaque : Trondheimsgatan. La pension où s'était engouffré le compagnon de Natalja était au numéro 44.

Malko repartit, la joie au cœur : il avait enfin du grain à moudre pour son enquête.

Kevin Hudson tournait la grenade trouvée sur le palier de Natalja entre ses doigts.

— Fabrication finlandaise, annonça-t-il. Ici, toutes les armes viennent de Finlande... Quel dommage que vous n'ayez pas pu photographier l'agresseur d'Olli Karhula.

— Je vais planquer avec Juri, proposa Malko. Il faut en savoir plus sur lui, sans mettre les Suédois dans le coup. Vous êtes d'accord ?

— Si vous ne faites rien d'illégal, oui, admit l'Américain. Mais soyez prudent. Vous allez voir Olli Karhula ?

— Il m'a invité à dîner.

— N'en dites pas trop...

— Si on veut le débloquer, dit Malko, je suis obligé de lui révéler presque toute la vérité. Et je dois aussi m'assurer de son silence vis-à-vis de Natalja. N'oubliez pas que pour le moment, elle ignore que nous la soupçonnons. C'est la condition sine qua non pour la prendre la main dans le sac et le KGB avec...

***

Olli Karhula avait à peine touché à sa truite gratinée, spécialité du restaurant *Karelia.* Encore sous le coup de ce que lui avait révélé Malko.

— Vous êtes vraiment un agent de la CIA? demanda-t-il à voix basse.

Il le contemplait comme un être d'une autre planète, hochant lentement la tête, dépassé.

— Cela m'arrive, dit Malko.

Le cas Lee Updike n'avait plus de secrets pour Olli Karhula. Ce dernier avait très bien compris l'enjeu que représentait le jeune scientifique américain, et les efforts du KGB pour s'en emparer. Mais le Finlandais se boucha moralement les oreilles dès que Malko commença à parler du rôle probable de Natalja Kippar...

— On a essayé de la tuer aussi, remarqua-t-il. Avec la grenade. Vous venez de me le dire.

Malko eut un regard de commisération pour lui.

— Olli, dit-il, il faut regarder les choses en face. Moi aussi j'ai cru à un véritable attentat. Aujourd'hui, je pense qu'il s'agissait d'un coup monté, destiné à me faire croire qu'on avait voulu liquider Natalja. Pour détourner les soupçons.

— C'est seulement une hypothèse.

— Vous avez constaté vous-même que Natalja connaissait l'homme qui vous a attaqué...

— Elle ne sait peut-être pas qui il est.

Le silence retomba.

— Et *pourquoi* ferait-elle cela ? demanda le Finlandais.

Malko chercha son regard derrière les verres épais des lunettes.

— C'est dur à avaler, Olli, mais je crois que Natalja nous a menti depuis le début. Elle travaille avec les Soviétiques et joue un rôle important dans l'histoire Updike. Comme elle a senti que je la soupçonnais, elle s'est dédouanée. Quant à vous, on a voulu vous faire taire.

— Mais *pourquoi ?*

— Parce que vous savez des choses sur Natalja. Peut-être même à votre insu. Des choses que vous n'avez jamais dites.

Le Finlandais posa sa fourchette.

— Je ne sais rien. Natalja a toujours été très franche avec moi.

Malko avait de la peine pour lui ; il sentait encore les ongles de Natalja s'enfoncer dans son dos. La jeune Estonienne était très forte. Pas étonnant qu'elle ait manipulé un garçon naïf comme Olli... Ce dernier semblait en proie à un trouble pathétique. Ses gros yeux se posèrent sur Malko, humides de larmes.

— Natalja n'est pas une mauvaise fille, fit-il.

— Je ne juge personne, fit Malko. Mais il faut m'aider. Que savez-vous qui lui fasse tellement peur ?

Le gros Finlandais répondit d'une voix si basse que Malko dut se pencher au-dessus de la table pour le comprendre :

— Un de ses cousins a toujours été communiste. Il avait été arrêté et torturé par les Allemands durant la guerre. Il est devenu un des responsables du KGB à Tartu.

— Qui vous a dit cela ? demanda Malko.

— La police finlandaise, quand j'ai épousé Natalja. Ils m'ont mis en garde.

— Vous en avez parlé à Natalja ?

— Oui. Elle m'a dit qu'elle détestait son cousin et qu'elle n'était pas responsable de sa famille. Justement, si elle avait voulu rester en Estonie, elle aurait pu avoir une très bonne situation, grâce à lui. Mais elle préférait la liberté.

Une nouvelle fois, la vérité se diluait... Effectivement, certaines familles étaient partagées politiquement.

— Ce n'est pas tout ? insista Malko.

Olli demeura muet d'interminables secondes. Avant de laisser tomber :

— Un jour j'ai écrit à sa mère, pour demander des nouvelles de Natalja. Je l'avais perdue de vue. Et elle m'a dit que sa fille lui avait rendu visite en été...

— Vous avez mentionné cette lettre à Natalja ?

— Non.

La mère avait pu en parler à sa fille. Et cette information recoupait celle de Lembit Fuchs, le vieil Estonien. Pris isolément, les faits concernant Natalja n'avaient pas grand poids. Mais, rassemblés, ils formaient un redoutable faisceau de preuves indirectes. Cependant, c'était l'homme qui avait attaqué Olli qui risquait d'apporter l'élément décisif.

Malko pensa au visage de madone de Natalja Kippar. Ce qu'il découvrait était peut-être la cause de ses yeux tristes et morts. Elle était un robot, un golem, comme disaient les vieux juifs d'Europe Centrale.

Olli Karhula l'observait anxieusement.

— Il faut que vous fassiez attention, dit Malko. Rien ne dit qu'il n'y aura pas un autre « accident ».

Le Finlandais secoua la tête.

— Mais pourquoi maintenant ? Cela fait trois ans que je sais tout cela.

— Ils n'avaient pas une raison précise, expliqua

Malko. Le KGB n'a recours à l'assassinat, comme tous les grands services, qu'en dernière extrémité.

« Natalja n'était pas assez importante pour qu'on prenne le risque de vous supprimer simplement pour la protéger. Elle est maintenant engagée dans une opération importante pour le KGB qui ne peut plus s'en passer. Il faut donc éliminer tous les dangers potentiels. Vous êtes le principal.

Olli Karhula s'était remis à mâcher sa truite machinalement, sans appétit. Il releva la tête vers Malko.

— Qu'allez-vous faire ?

— Pour l'instant, rien, dit Malko. Surveiller Natalja, faire semblant de croire à son histoire. Et surtout découvrir le plan des Soviétiques pour m'y opposer. Nous avons les mains liées à cause des Suédois, nous sommes obligés de ruser. Je vous demande une chose : ne parlez pas à Natalja de ce que je vous ai dit.

— Je vous le promets, dit Olli Karhula, après une longue hésitation, mais je veux que vous me teniez au courant. De *tout*.

— D'accord, dit Malko.

Malko bâilla. Il avait dû se lever à six heures du matin pour sa planque et le vin blanc du *Karelia* lui avait rongé l'estomac une partie de la nuit. A côté de lui, Juri Maran était réveillé comme un pinson, avec son éternel blouson bleu. Insensible au froid. Sous la lumière blafarde du matin, Trondheimsgatan était carrément sinistre. Les rares passants se hâtaient, emmitouflés jusqu'aux yeux. Le chauffage de la Volvo avait beau être à fond, il faisait tout juste chaud.

Juri Maran s'ébroua.

— Lee Updike m'a appelé hier soir, dit-il, il était affolé.

— Pourquoi ?

— Natalja lui a parlé de l'attentat à la grenade. Il a peur pour elle. Il voulait demander la protection de la police... Elle l'en a dissuadé.

— Comment cela va-t-il entre eux ? demanda Malko.

— Il a l'air très amoureux, dit Juri. Il m'a demandé où il pouvait trouver un manteau de fourrure pas trop cher pour lui offrir dimanche prochain, pour son anniversaire.

— Elle donne une fête ? Elle vous a invité ?

— Non, d'après ce que j'ai compris, ils doivent le passer en tête à tête.

Si Malko ne se trompait pas, Lee était en train de tomber de Charybde en Scylla... Il se tourna vers l'Estonien :

— Juri, vous croyez toujours que Natalja est « claire » ?

Juri Maran baissa la tête.

— Je ne sais plus, avoua-t-il. Je ne comprends pas.

Comme pour éviter la discussion, il sortit se dégourdir les jambes un moment. Stoïque.

Malko garda les yeux vissés aux jumelles.

Deux heures qu'ils attendaient au bout de la rue, embusqués sur une station d'essence. Ils avaient vu la pension du 44 se vider de presque tous ses pensionnaires vers sept heures du matin, puis le calme était retombé. Hélas, celui qu'ils guettaient ne s'était pas montré.

Le brouillard commençait à se lever doucement. Une silhouette émergea enfin du couloir du 44 et s'éloigna à grands pas dans la direction opposée.

— C'est lui ! dit Malko, rabaissant ses jumelles.

Il ne vous connaît pas. Assurez-vous qu'il s'éloigne réellement.

Juri Maran sortit de la Volvo et s'éloigna à pied, les mains dans les poches de son blouson bleu. Malko l'attendit plus de trente minutes. Le jeune Estonien était visiblement déçu lorsqu'il réapparut.

— J'ai pris le métro avec lui, expliqua-t-il. Il est descendu à la troisième station, alors qu'il avait acheté un ticket jusqu'au centre. Il a trouvé un taxi tout de suite...

— Essayons de voir sa tanière, suggéra Malko.

Ils gagnèrent à pied le 44, et s'engouffrèrent dans le couloir sale, sans que personne ne les voie. L'escalier vermoulu était horriblement sonore et ils furent soulagés d'arriver au second. La pension semblait déserte. Les clients étaient partis travailler et la tenancière ne devait pas se ruiner en ménage. Trois portes s'ouvraient sur le palier. Une seule donnait sur la façade. Malko examina la serrure : hyper-simple. Il se retourna vers le jeune Estonien.

— Vous croyez pouvoir ouvrir ? demanda-t-il.

Juri fit tinter des clefs dans sa poche.

— Peut-être.

Il sortit un gros trousseau et commença à fourrager dans la serrure.

En moins de deux minutes le pêne claqua et Juri poussa la porte.

La chambre était très spartiate. La penderie ne recélait rien. Ils trouvèrent sous le lit une valise fermée à clef. Très lourde. De nouveau, Juri fit merveille. Heureusement, c'était de la camelote russe facile à ouvrir.

Deux pistolets-mitrailleurs Suomi, graissés, se trouvaient sur le dessus. Avec des chargeurs attachés de bandes caoutchouc. Malko les enleva avec précaution, découvrant les grenades bien rangées et trois revolvers Smith et Wesson « 357 Magnum » ainsi que des boîtes de cartouches.

— On emporte la valise ? suggéra Juri.

Malko hésitait. C'était facile de tout prendre ou d'alerter la police. Cela désorganiserait certainement les plans du KGB, mais les Soviétiques risquaient alors de mettre en place un dispositif de secours dont ils ne connaîtraient rien... Le puzzle commençait à se reconstituer. La douce Natalja était, de toute évidence, de mèche avec le KGB. Mais Malko ne comprenait pas encore le modus operandi. Ils ne voulaient quand même pas abattre Lee Updike ! A quoi était destiné cet arsenal... ?

— Je crois que nous n'allons toucher à rien, dit-il.

C'était un risque énorme, mais la seule façon de démonter l'opération soviétique. S'il avait eu un technicien sous la main, il aurait bien piégé les grenades, comme Chris Jones l'avait fait à Madrid (1).

Juri avait pris un des PM et l'examinait.

— Je connais bien ces armes, remarqua-t-il. Il y en a partout en Finlande et même en Estonie, les partisans les utilisaient.

Cela donna une idée à Malko.

— Démontez-les et retirez le ressort du percuteur.

De cette façon, l'arme était inutilisable et il y avait toutes les chances que son propriétaire s'en aperçoive trop tard. Le front plissé, Juri s'était lancé dans le démontage. En quelques minutes, il eut ôté les ressorts et remonté les deux PM, désormais inoffensifs. Hélas, il n'en était pas de même des grenades...

— Partons, dit Malko.

Dans les papiers, il avait trouvé le passeport du Kurde, un passeport irakien et en avait noté toutes les caractéristiques. La CIA allait faire des bonds de joie...

(1) Voir *L'affaire Kirsanov*, SAS n° 80.

⁂

Malko sortait d'une douche brûlante quand une phrase de Juri Maran lui revint brusquement. Pourquoi ? Il n'en savait rien lui-même. Une sorte d'intuition fulgurante. Il décrocha son téléphone et appela Olli Karhula.

— Il y a du nouveau ? demanda le Finlandais d'une voix anxieuse, tendue.

— Non, dit Malko, juste un petit renseignement. Connaissez-vous la date de naissance de Natalja ?

— Le 23 septembre 1956, répondit sans hésiter Olli. Pourquoi ?

— Par curiosité, dit Malko.

La dernière pièce du puzzle venait de se mettre en place.

CHAPITRE XIV

Olli Karhula aboya dans le téléphone, toute sa placidité envolée :

— Pourquoi m'avez-vous posé cette question sur son anniversaire ?

— Je ne peux pas vous le dire.

— Dans ce cas, j'irai lui demander et elle me le dira.

Il ne manquait plus que cela !

— Olli, dit Malko, cela pourrait avoir des conséquences incalculables.

— Je m'en moque, fit le Finlandais, je ne comprends rien à toutes ces histoires ! Tout le monde me ment. Je veux savoir la vérité. Vous m'aviez promis !

Le mouton était devenu enragé. Capable d'aller interroger Natalja... Il ne fallait pas le braquer.

— Natalja a prétendu que son anniversaire tombait dimanche prochain, le 14 décembre, dit-il. Ce qui est faux, vous venez de me l'apprendre. Ce mensonge a une signification.

— Que va-t-elle faire ?

— Elle doit passer cette journée avec Lee Updike.

— Et alors ?

— Alors, dit Malko, il y a sûrement une raison, mais je ne l'ai pas encore découverte. Seulement, je vous conjure de ne rien lui révéler.

— Je me tairai, promit le Finlandais de mauvaise

grâce, mais je veux être avec vous. Sinon, je lui dis tout.

— Cela peut être dangereux, remarqua Malko. On a déjà tenté de me tuer, il y a eu l'agression contre vous, sans parler de Leslie Manson...

— Cela m'est égal, fit Olli Karhula, placide à nouveau. De toute façon, je ne tiens pas tellement à la vie.

Malko comprit qu'il ne le ferait pas changer d'avis...

*
**

— Nous avons identifié votre homme, il s'appelle Adnan Candenir, annonça Kevin Hudson. C'est un Kurde irakien membre du PKK, qui a été élevé en Union Soviétique et travaille avec le KGB depuis des années. Personnage très dangereux, un « exécuteur » déjà soupçonné de nombreux meurtres.

— Qui vous a dit cela ?

— Nos homologues de la Säpo... Candenir est déjà venu à plusieurs reprises en Suède.

— Il n'est pas seul, remarqua Malko, car il n'a sûrement pas introduit les armes que j'ai vues chez lui. Ce serait trop dangereux...

— Les Suédois doivent connaître ces réseaux, reconnut Hudson, mais ils ferment les yeux pour ménager tout le monde. Si on déclenche une opération contre lui, ils l'expulseront et les Popovs sauront que nous l'avons repéré. Avez-vous décortiqué leur plan ?

— Je crois, dit Malko. Ingrid Stor, même si elle travaille pour le KGB, n'est qu'un leurre. C'est Natalja qui doit accomplir la tâche, c'est-à-dire conquérir Updike et ensuite l'exfiltrer. Quelque chose d'important doit se produire dans quatre jours, le jour de son anniversaire supposé. Quelle meilleure façon de s'assurer de la présence d'un homme amoureux que de l'inviter à son anniversaire ?

Le plan du KGB devait prévoir un « point de passage obligé » le 14 décembre. Et Natalja avait verrouillé avec son sourire de madone et un manteau de fourrure en prime.

Dalila, à côté, n'était qu'une bonne...

— Ils vont l'enlever ! fit sombrement l'Américain. Sinon, ils n'auraient pas fait venir Candenir... Il faut prévenir Updike.

— Nous sommes en Suède, dit Malko. Et ils se doutent que nous allons faire un foin du diable. Candenir est là seulement pour couvrir l'opération, c'est un « baby-sitter »... Je crois qu'à ce stade, ce serait de la folie de mettre Lee Updike en garde contre Natalja.

Kevin Hudson lui jeta un regard noir.

— Vous vous rendez compte du risque que vous me faites prendre ! Ce ne sont que des hypothèses. Si leur coup tordu réussit, ce ne sera pas rattrapable...

— Je sais, reconnut Malko, mais eux non plus n'ont pas les mains libres. Est-ce que la Säpo continue à surveiller Updike ?

— Mollement...

Le téléphone sonna sur son bureau. Il engagea une longue conversation en suédois et annonça après avoir raccroché :

— On a retrouvé Hala Salameh, la femme qui a tenté de vous tuer. Morte. Le corps était caché dans une maison abandonnée. La maison a pris feu et les pompiers l'ont découverte dans les décombres. Elle avait été étranglée...

— Que dit la Säpo ?

— Ils pensent que c'est un règlement de comptes entre Palestiniens. Hala Salameh était très proche des Syriens. Elle a pu être liquidée pour cela.

— Ou pour l'empêcher de parler, compléta Malko.

Un ange passa, enroulé frileusement dans un linceul. Pour une ville calme, Stockholm secrétait les cadavres. Tout se passait d'une façon étouffée, détournée, un théâtre d'ombres sanglantes.

L'Américain regarda le calendrier.

— Il reste quatre jours avant le 14, remarqua-t-il. Je vous autorise désormais à porter une arme et je prends la responsabilité de ce qui pourrait arriver. Mais, par Dieu, ne laissez pas filer Updike.

— J'essaierai.

— Et cet Olli Karhula, vous êtes sûr de lui ?

— Je pense le contrôler. Mais j'aimerais bien des « baby-sitters ».

— En un laps de temps aussi court, c'est difficile de convaincre les Suédois. Et je ne crois pas à une opération en force. Juri Maran devrait suffire. En cas de coup dur, on repassera le bébé aux Suédois.

— J'ai rendez-vous avec lui maintenant, dit Malko. Pour lui parler de Natalja.

Juri Maran semblait s'être ratatiné. Les épaules voûtées, le regard éteint, il écoutait le récit de Malko, son visage de paysan balte bouleversé par une émotion sincère. Il passa une grosse main dans ses cheveux blonds et releva la tête.

— Vous êtes certain de tout cela ? interrogea-t-il anxieusement. Les « Organes (1) » sont si rusés ! Ce n'est pas une manip pour la compromettre ?

— Je ne pense pas, dit Malko. Il y a encore une chance minuscule, mais je n'y crois guère.

Juri ne put répondre. Il jouait avec une boulette de pain et il sembla à Malko qu'il y avait des larmes dans les yeux. Il dit finalement d'une voix trop assurée et fausse :

(1) Le KGB.

— Alors, qu'est-ce qu'on va faire à cette salope ? Pathétique.

— L'empêcher de mener à bien sa manœuvre, dit Malko. Elle n'aura pas recours à la violence, mais Adnan Candenir peut-être. Nous avons l'avantage de le connaître. Mais cela peut dégénérer en un affrontement. Avez-vous une arme ?

— Oui, fit l'Estonien en baissant les yeux, mais Mr Hudson ne le sait pas. Un Nagant, avec des munitions.

— Désormais, fit Malko, ayez-le sur vous en permanence. Surtout ne changez pas d'attitude envers Natalja.

— Est-ce que je dois surveiller Candenir ?

— Non, dit Malko, à mon avis ce n'est qu'un « baby sitter ». Jusqu'à dimanche 14, on se tient à distance. Par contre, gardez un contact étroit avec Lee Updike. Téléphonez-lui, voyez-le, aidez-le à acheter le manteau pour Natalja.

Juri opina de la tête. Absent. La trahison de Natalja lui avait porté un coup dont il n'était pas près de se remettre. Ils se serrèrent la main et l'Estonien s'éloigna sans un mot. Resté seul, Malko fit le point. Il lui restait une chose importante à faire : rassurer le KGB.

Un vent sibérien balayait les abords du triste immeuble de la radio. Malko s'y engouffra, claquant des dents. Il ne restait plus que trois jours avant la date fatidique mais il avait dormi comme un bébé. Maintenant il savait où il allait. Il faisait – 27 et on pensait que la température allait encore descendre... Il gagna le troisième. Ingrid Stor était dans un studio en train de monter des bobinos. Elle aperçut Malko et vint à sa rencontre, toujours sculpturale en dépit de ses pull-overs superposés. Le jeans usé, enfoncé dans ses bottes, moulait ses cuisses splendides.

Elle l'embrassa.

— Quoi de neuf ?

— Je vais bientôt repartir, dit Malko, je venais vous dire au revoir. Vous allez toujours en Finlande ?

— Toujours.

— Et vous emmenez Lee ?

— Il ne veut pas, dit-elle, à moins qu'il change d'avis. Vous allez pouvoir lui demander, il arrive.

— Ah bon ?

Il réussit à paraître surpris. Alors que Juri l'avait averti de cette visite du jeune Américain, à son ex-fiancée.

Ingrid leva la tête. Lee Updike, emmitouflé comme un explorateur, venait de pénétrer dans le studio. Il aperçut Malko et son visage se ferma instantanément.

— Encore vous ! grommela-t-il.

Il ôta la chapka dissimulant son crâne à moitié chauve.

— Allez à la cafétéria, suggéra Ingrid. J'ai un truc à finir... Commandez-moi un Gaston de Lagrange, je vous rejoins.

La cafétéria de la Radiohuset était déserte et il y régnait une chaleur de bête. Lee Updike semblait perturbé et de mauvaise humeur.

— Que voulez-vous ? demanda-t-il.

— Allez-vous accompagner Ingrid Stor en Finlande ?

Lee Updike lui jeta un regard furibond :

— Qu'est-ce que ça peut vous faire ?

— Mr Updike, dit-il, je tiens à vous mettre en garde. Ce voyage en Finlande pourrait représenter un grand danger pour vous.

— Lequel ?

— Vous n'avez jamais pensé que les Soviétiques

puissent tenter de vous kidnapper ? La Finlande serait l'endroit idéal...

Un sourire sardonique éclaira le visage émacié du jeune scientifique américain.

— Et Ingrid est un agent du KGB, n'est-ce pas ? Et vous, Mr Linge, qui êtes-vous ? Pourquoi avoir proposé de m'emmener à Vienne ? Pour me kidnapper pour le compte de la CIA ?

Son ton avait monté.

— Mr Updike, fit Malko, il est ridicule de penser que la CIA pourrait vous kidnapper. Il est normal que les Américains souhaitent que vous retourniez dans votre pays, mais il est encore beaucoup plus important pour les Soviétiques de s'emparer de vous. Afin de connaître les secrets de votre travail...

Lee Updike eut un haussement d'épaules méprisant.

— Mr Linge, je pense que vous êtes un agent de la CIA pour me parler ainsi. Personne ne me forcera à révéler les secrets que je veux conserver.

— Vous croyez que le KGB n'en a pas les moyens ?

Lee Updike se leva, déposant quelques couronnes sur la table, pour son café.

— Cela suffit, Mr Linge ! Cette conversation est ridicule. Le KGB ne se risque pas à ce genre de choses.

Il quitta la cafétéria à grandes enjambées, Malko le rattrapa à la porte et lui lança d'un ton pressant :

— N'allez surtout pas en Finlande ! Vous n'en reviendrez pas.

L'Américain se dirigea vers l'ascenseur avec un haussement d'épaules.

Malko le regarda disparaître dans la cabine. Il avait « grillé » sa couverture, mais c'était un feu de joie bien utile. Le KGB allait sûrement avoir vent de cette conversation, par Ingrid. Il l'interpréterait comme la manœuvre désespérée d'un homologue de la CIA à qui la situation échappait.

*
**

Le colonel Viktor Indusk crut avoir mal lu. Il reprit mot par mot le télex tout juste décodé qu'on venait de déposer sur son bureau, serrant et desserrant les énormes mains qui avaient étranglé Hala Salameh. Le texte ordonnait le report de l'opération Znanié à une date ultérieure. Viktor Indusk en voyant le thermomètre descendre au-dessous de – 20 avait pressenti la catastrophe, qui réduisait à néant des mois d'effort. Il sentit une colère gigantesque l'étouffer et hurla dans l'interphone :

— Mariana ! Appelle-moi Moscou tout de suite !

Sa secrétaire passa la tête par la porte, étonnée. On n'appelait la place Dzerjinski que dans les grandes occasions. C'était un risque de sécurité, toutes les communications téléphoniques, même cryptées, étant enregistrées par la NSA américaine. Et on ne savait jamais si les *Amerikanski* n'avaient pas brisé un code.

— Qui, à Moscou, Tovaritch Colonel ?

— Le tovaritch général Boris Ivanovitch Sakharov...

Le chef du Premier Departement... La secrétaire rentra dans son trou, terrifiée. Les ordres interdisaient ce genre d'appel. Il fallait un cas de force majeure.

Viktor Indusk alluma une cigarette et attendit, le cœur tordu de rage et d'angoisse. Le général Sakharov allait être ivre de fureur, mais si on ne bousculait pas la lente machine du KGB, il allait à la catastrophe... Sept minutes plus tard, il entendit la sonnerie du téléphone dans le bureau de sa secrétaire et se redressa, le cœur battant. Puis l'appareil bourdonna sur son bureau.

— Le tovaritch général Sakharov est à l'appareil, ânonna Mariana d'une voix figée par une crainte respectueuse.

— Tovaritch Général, je vous salue avec respect, lança Viktor Indusk d'une voix vibrante.

— Pourquoi m'appelles-tu, Viktor Stefanovitch ? demanda l'officier d'une voix sèche, absolument dépourvue d'humanité.

Viktor Indusk avala sa salive.

— Une raison grave, Tovaritch Général. J'ai reçu votre message indiquant la remise de l'opération à une date ultérieure. C'est tout à fait impossible, Tovaritch Général...

De stupeur, le général soviétique demeura muet quelques secondes. Puis il gronda d'une voix caverneuse :

— Viktor Stefanovitch, tu veux dire que tu m'appelles pour me dire *cela*. Ton télex est en panne ?

— Non, Tovaritch Général, balbutia le colonel Indusk, je voulais attirer votre attention personnelle sur le fait qu'il est impossible de changer de date pour des raisons opérationnelles dont je ne peux discuter maintenant.

Le général Sakharov rugit dans le combiné :

— Viktor Stefanovitch, tu es plus con que le trou du cul d'un porc noir ! Est-ce que tu crois que j'ai pris cette décision pour m'amuser ? Mes raisons sont aussi opérationnelles que les tiennes... Si le temps ne se radoucit pas, dans deux jours, la Baltique sera une patinoire. Ce qui ne devait pas se produire avant plusieurs semaines. Alors, maintenant, laisse-moi travailler.

— Tovaritch Général, supplia le colonel du KGB, il faut me croire. Si vous changez la date, non seulement l'opération ne se fera pas, mais notre agent sera grillé et tout notre plan dévoilé au grand jour.

Cette fois, le général n'explosa pas. Il connaissait

Indusk. C'était un bon communiste et un patriote, ni un ivrogne, ni un imbécile. Le désespoir dans sa voix était sincère.

— Qu'est-ce que tu veux, Viktor Stefanovitch ? Je ne peux pas commander au temps.

— Qu'on attende la dernière minute pour lancer le contre-ordre, Tovaritch Général. Cela peut s'arranger d'ici là.

— Bon, je vais voir, grommela le général. Envoie-moi un télex avec tes raisons précises.

Après avoir raccroché, Viktor Indusk se leva et arpenta son bureau, essayant de se calmer. Au moins sa protestation ne se perdrait pas dans les sables mouvants de la bureaucratie du KGB. Piètre consolation. Car si tout se cassait la gueule, c'est lui qui en serait tenu pour responsable... Il alla à la fenêtre et regarda le ciel bleu qui semblait gelé lui aussi.

Foutu hiver.

*
**

C'était la première fois que Natalja acceptait de venir dans la chambre de Lee Updike. Ils avaient bu un thé chez *Christina*, puis étaient revenus à pied à son hôtel. Elle regarda le désordre de la chambre avec indulgence.

— Tu as besoin d'une femme, remarqua-t-elle.

De confortable, il n'y avait que le lit. Elle s'y assit, croisant les jambes gainées de collants noirs à résille, enfoncées dans ses bottes. Aussitôt, Lee Updike se coula vers elle. Depuis la séance du cinéma, il ne l'avait pas touchée. D'abord, Natalja se laissa faire, flirtant gentiment.

Elle protesta à peine lorsqu'il l'allongea et se glissa à côté d'elle, passant une main autour de sa taille pour mieux lui faire sentir son désir. Il n'avait pas fait l'amour depuis une semaine et n'en pouvait plus...

Natalja était débordée de travail et passait ses soirées chez elle à repasser ses textes.

Il se frottait contre elle, avec de petits soupirs, l'embrassant avec de plus en plus de violence.

— Natalja, je t'aime, murmura-t-il.

— Je croyais que tu aimais Ingrid, dit-elle moqueusement.

— Non, dit-il, elle m'excitait, c'est tout, toi, tu es si douce, si belle.

Natalja dit d'une voix rauque :

— Moi non plus, je n'ai pas fait l'amour depuis longtemps. Mais je veux que ce soit une fête... Dans trois jours, tu me feras l'amour pour mon anniversaire... Tu peux bien attendre jusque-là ?

Il grommela un « oui » pas convaincu et elle se redressa, lisse et satisfaite.

L'hameçon était enfoncé profondément dans la chair de Lee Updike et il ne s'en débarrasserait plus.

CHAPITRE XV

De gros flocons blancs s'écrasaient sur la vitre où ils se transformaient aussitôt en longues traînées brillantes. Malko laissa retomber le rideau et bâilla. Il avait à peine dormi et avait les yeux grands ouverts depuis six heures du matin.

La neige formait un cocon ouaté qui filtrait encore la pâle lueur de l'aube. D'après le calendrier, le soleil devait se lever, en ce dimanche 14 décembre, vers sept heures et demie et se coucher aux alentours de quinze heures. Il était huit heures et on y voyait goutte... Malko plongea sous sa douche, essayant de dénouer le nœud qui lui tordait l'estomac. Ce dimanche était le jour « J », celui du faux anniversaire de Natalja Kippar.

Il avait passé la soirée de la veille avec elle. Natalja l'avait appelé à son hôtel. Après un dîner d'amoureux à l'*Operakällaren*, arrosé d'une bouteille de Moet millésimée, ils s'étaient retrouvés chez la jeune femme. Pendant qu'ils faisaient l'amour, le téléphone avait sonné. Malko avait reconnu la voix de Lee Updike, susurrant des protestations enflammées. Natalja lui avait donné la réplique d'un ton faussement endormi, l'assurant de son amour, avant de reprendre sa fellation interrompue.

Toute la semaine, elle avait poursuivi Malko de coups de fil, et ses yeux d'habitude sans vie flambaient d'une lueur amoureuse lorsqu'elle le fixait. Belle histoire d'amour...

Malko sortit de sa douche, un peu revigoré. La neige annonçait une température plus clémente. Depuis jeudi, le thermomètre était remonté régulièrement. Toute la gesticulation autour de Lee Updike s'était calmée, comme figée par le froid. Adnan Candenir n'avait pas réapparu, Ingrid Stor ne s'était pas manifestée et Malko avait eu des nouvelles régulières de Lee Updike par Juri qui le voyait chaque jour, sous des prétextes divers. L'Américain s'était pris de sympathie pour le dissident estonien, peut-être à cause de leur commune candeur.

Ponctuellement, chaque jour, Olli Karhula appelait Malko à neuf heures.

Ce matin, Malko avait demandé à Juri de planquer Adnan dès l'aube. Si quelque chose devait se passer, le « baby-sitter » kurde les y mènerait fatalement. Malko savait seulement que Natalja retrouverait Lee Updike à un certain moment de la journée. Il ne savait ni où ni quand. Pour agir il attendait donc le rapport de Juri qui devait l'appeler dès que Candenir bougerait. Ensuite, ce serait la filature, forcément délicate. Heureusement, il n'y aurait que cinq heures de jour...

Il s'était habillé et il vérifia son pistolet extra-plat.

Il ignorait encore comment le KGB allait s'y prendre, s'il tentait quelque chose. Le rôle de Natalja était sûrement de mener Lee Updike dans un endroit discret d'où il disparaîtrait à jamais. Malko avait pensé aux camions soviétiques qui sillonnaient la Suède, mais c'était risqué. L'avion, avec ce temps, était peu probable. Restait le bateau. Il fallait que Natalja se débrouille pour amener l'Américain sur un point de la côte désert, car il voyait mal un sous-marin soviétique venir le chercher dans le port de Stockholm. Les Suédois étaient de bonne composition, mais quand même...

Il y aurait forcément un parcours terrestre dans le plan soviétique, ce qui donnerait le temps d'intervenir. L'idéal étant de prendre les agents soviétiques la main dans le sac, en train de kidnapper Lee Updike.

Bien entendu, Kevin Hudson avait décidé de passer le dimanche à son bureau de l'ambassade, prêt à alerter ses homologues suédois.

Juri Maran avait démonté son vieux Nagant et en avait graissé les pièces alignées sur son lit étroit. Il ne sentait même pas le froid de sa chambre mal chauffée. De toutes ses forces, il essayait de ne pas penser à Natalja.

Il remonta son arme, y glissa un chargeur et passa le pistolet dans sa ceinture. Avec des gestes d'automate, il enfila son blouson bleu molletonné, enroula une écharpe autour de son cou et descendit. Il faisait encore nuit. Il se hâta jusqu'à la bouche de métro. Une demi-heure jusqu'à Rinkeby. Il trouva une place assise, ferma les yeux et essaya de se vider le cerveau.

Le colonel Viktor Indusk, penché sur sa radio, écoutait le bulletin météo de Tallin. Le front plissé d'inquiétude. Là-bas, le froid continuait. La réponse du général Sakharov à son télex était arrivée vendredi. L'opération était maintenue, mais les marins de Paldisky (1) ignoraient encore s'ils pourraient remplir leur part du contrat.

(1) Port militaire à côté de Tallin.

Il ferma sa radio et alla se préparer un thé brûlant. Il faisait encore nuit, mais on voyait tournoyer les flocons de neige à la lumière des lampadaires. Ce qui le rassura un peu. Il se dit que ce jour allait être le plus long de toute sa carrière. Sa femme dormait encore. Il passa son manteau et appela l'ascenseur. Son chauffeur, un homme de la ligne KR (1), devait déjà l'attendre en bas pour l'emmener à la Rezidentura.

***

Lee Updike ne dormait pas depuis cinq heures du matin, consultant sans cesse dans le noir le cadran lumineux de sa montre. L'excitation et le désir...

L'Américain était à bout de nerfs et de fantasmes. Il avait revu chaque jour Natalja Kippar qui s'était habilement refusée à lui. Il se leva, contempla son sexe gonflé et fila prendre une douche pour se calmer. Ensuite, enroulé dans sa serviette, il s'approcha de sa fenêtre. Västerlånggatan était sombre et déserte, d'un silence absolu sous la neige.

Son ancienne vie lui semblait à des années-lumière. Bien sûr, il n'avait pas oublié ce qu'il savait mais y pensait le moins possible.

D'ailleurs, le seul fait d'évoquer mentalement le passé lui remémora la mort de Leslie Manson et l'angoissa. Il repensa à la mise en garde de l'homme qu'il considérait maintenant comme un agent de la CIA.

Et si les Américains avaient décidé de l'assassiner ?

Il se promit d'aller à la Säpo, dès le lendemain et de parler de l'étrange journaliste autrichien.

Sa crainte se télescopa avec une autre pensée horrible. Et si on s'attaquait de nouveau à la douce

(1) Service de sécurité intérieure du KGB

Natalja ? Il jeta un coup d'œil attendri au grand carton posé à terre qui contenait le manteau de renard qu'il lui avait acheté pour son anniversaire. Une image abominable passa devant ses yeux. Natalja égorgée, violée. Son fantasme était si fort qu'il ne put y résister. Il composa le numéro de la jeune femme. A son immense surprise, cela sonna dans le vide. Il le refit, croyant s'être trompé, avec le même résultat. Quand il raccrocha, son cœur battait la chamade. Pourquoi Natalja n'était-elle pas chez elle, à une heure aussi matinale ? Il s'habilla comme un fou, mettant un gros pull à même la peau, une chapka, sa pelisse et descendit quatre à quatre.

Le soldat de garde devant l'immeuble de Lise Palme le regarda avec surprise courir dans la neige.

Les flocons de neige lui caressaient le visage. Il s'engagea sur le Vasabron, tenaillé par une angoisse qui le poussait comme une fusée. Qu'était-il arrivé à Natalja Kippar ?

Natalja Kippar était absolument gelée quand elle pénétra dans la station de métro de Kungsträdgårdsgatan, ayant franchi à pied plus de deux kilomètres dans les rues noires et glaciales du centre. Par prudence, elle n'avait pas voulu prendre de taxi.

Elle se serait bien passé de ce dernier rendez-vous, mais il était indispensable pour mettre au point l'exfiltration de ses alliés et le timing de l'opération qu'elle ne connaissait que depuis la veille. Par sécurité, on mettait les participants au courant au dernier moment. Maintenant, elle avait hâte que cette histoire se termine. Elle n'en pouvait plus de la Suède et n'ignorait pas qu'elle serait ensuite affectée à une autre partie du globe. Peut-être même à Moscou, à s'occuper des visiteurs étrangers. Elle adorait Moscou et son espoir était de mettre la main sur un des pontes de la Nomenklatura qui lui assurerait une vie confortable... Pour le moment, elle se gelait.

La cafétéria *Kebab* à l'entrée du métro n'avait que deux clients. Elle s'assit de façon à surveiller la sortie et commanda un double café.

Vingt minutes plus tard, au milieu de la foule débarquant d'une rame, elle repéra Adnan. Il vint la rejoindre à sa table. Lui aussi semblait gelé et sa moustache était raide de froid. Ils s'observèrent quelques instants en silence. Il souriait et elle ne pouvait s'empêcher de penser à leur première rencontre. Lorsqu'il l'avait prise dans les toilettes du cinéma. Elle en avait encore des frissons.

— Tout va bien ? interrogea Adnan.

— Tout est en ordre, dit-elle. Tu repars avec nous.

— Et mes copains ?

— Eux aussi. On ne laisse personne derrière nous.

Adnan approuva de la tête, ravi. Il n'avait qu'une idée, quitter ce climat abominable pour la chaleur. Son travail était limité. Il obéissait à Natalja Kippar, déléguée du major Orek qui était son officier traitant. Il entrouvrit sa canadienne et elle devina sous le chandail la crosse d'une arme

— Quel est le programme ? dit-il.

Elle lui expliqua ce qu'elle attendait de lui. C'était relativement simple. Natalja conclut :

— Il ne faut aucune interférence. Même si cela doit faire du bruit. Tu as compris ?

Adnan Candenir hocha la tête affirmativement. Au moment où il allait commander un second café, il vit le regard de Natalja se figer.

— Ne bouge surtout pas, souffla-t-elle. Regarde dans la glace le type en bleu.

Il obéit et aperçut le reflet d'un homme debout dans un renfoncement de la galerie, en blouson molletonné bleu, jeune, blond, les mains dans les poches. Adnan reporta son attention sur Natalja. L'Estonienne avait la couleur d'un bloc de craie. Elle ne quittait pas des yeux l'homme blond.

— Qui est-ce ? demanda-t-il.

— Un adversaire..., fit Natalja.

En silence ils observèrent l'homme qui s'éloigna, restant toutefois en vue sans se rendre compte qu'il avait été repéré. Natalja s'était recroquevillée. C'était un cas non conforme pour lequel elle n'avait pas reçu d'instructions. Elle essaya d'évaluer le risque. Juri ne se trouvait certes pas là par hasard. Mais pour qui ? Elle ou Adnan ?

Elle était pratiquement certaine de ne pas avoir été suivie. Donc, Juri et les Américains avaient identifié Adnan. Peu importait comment. Elle n'avait le choix qu'entre deux solutions. Annuler toute l'opération, ce qui n'était pas en son pouvoir ou éliminer l'adversaire.

— Adnan, dit-elle, il va falloir que tu fasses le ménage...

A voix basse, tandis que la cafétéria se remplissait, elle donna ses instructions, ayant la sensation de commettre une entorse aux règles, mais elle n'avait guère le choix. Il serait toujours temps de se justifier plus tard...

Le Kurde écoutait, impassible, frottant distraitement sa moustache fournie. Ce n'était qu'un contrat parmi d'autres, avec, simplement, quelques spécifications particulières... Natalja leva de nouveau la tête. Juri était invisible maintenant, mais il les surveillait sûrement.

— Vas-y, dit-elle.

Adnan se leva et se dirigea sans se presser vers le guichet du métro où il acheta son billet... Puis il franchit le portillon. Quelques secondes plus tard, Juri Maran surgit de la galerie et s'engagea à sa suite dans l'escalier du métro. Natalja attendit qu'ils aient disparu tous les deux pour se lever à son tour.

Elle retrouva la surface. Il faisait toujours nuit. Elle regagna son quartier, en marchant rapidement. Dans son couloir, elle recula brusquement, apercevant une silhouette dans la pénombre. Sa main plongea dans sa poche, saisissant un petit pistolet et son bras se détendit, le doigt déjà crispé sur la détente.

— Natalja !

La stupéfaction la paralysa. Lee Updike ! Qu'est-ce qu'il faisait là ? Un poil de plus et elle lui mettait une balle dans la tête. Son bras retomba et elle fut prise de vertige. Elle avait frôlé la catastrophe.

***

Juri s'endormait presque au rythme du métro bondé, ouvrant l'œil de temps à autre pour surveiller le Kurde. Intérieurement, il était bouleversé de savoir que Natalja était impliquée. Maintenant, il n'y avait plus aucun doute...

A Rinkeby, le Kurde descendit et gagna sa pension de famille. Juri Maran trouva un café ouvert, un peu plus loin dans Trondheimsgatan, et commanda une soupe. En attendant qu'on le serve, il appela Malko.

— J'ai vu Natalja, annonça-t-il.

Les mots lui brûlaient la gorge. Malko écouta le récit de sa filature, sur les nerfs. Le rendez-vous Natalja-Candenir confirmait son hypothèse. Il allait se passer quelque chose.

— Ils ne vous ont pas vu ? s'inquiéta-t-il.

— Non, non, j'ai fait attention, affirma Juri. Maintenant, il est de nouveau chez lui.

— Rien d'autre ?

— J'ai accompagné Lee pour acheter le manteau hier, fit l'Estonien. Du renard à quinze mille couronnes. Il doit la retrouver aujourd'hui vers deux heures.

— Où ?

— Elle vient le chercher dans Gamla Stan.

— Bravo ! Restez là et ne lâchez pas ce Kurde. Rappelez-moi dès qu'il y aura du nouveau. Si vous ne pouvez me joindre, Mr Hudson est à son bureau à l'ambassade.

Fier de lui, Juri Maran alla déguster sa soupe. Deux hommes entrèrent, des basanés, qui s'assirent dans un coin. Dans ce quartier on se serait cru au Moyen-Orient. Juri ressortit et alla se planquer un peu plus loin, dans l'entrée d'un immeuble où au moins il ne grelottait pas. Le Nagant pesait à sa ceinture. Il se demanda comment la journée se terminerait.

Une heure s'écoula et un jour pâle se leva enfin sur un ciel gris et triste. Juri en avait mal aux yeux de surveiller le petit immeuble. Enfin, il fit Adnan Candenir passer la porte et repartir vers le métro.

Nouveau trajet.

Cette fois, ils descendirent à l'Observatoire, dans le nord de la ville. Adnan Candenir monta jusqu'à Tulegatan puis s'engagea dans un raidillon escaladant une petite colline verglacée couverte d'arbres rabougris. L'été c'était charmant, mais en cette saison, même les enfants évitaient le coin. Juri hésita. Il n'y avait aucun couvert et l'autre allait obligatoirement s'apercevoir qu'il était suivi. Mais s'il le perdait, cela n'aurait servi à rien de se lever à six heures du matin.

Il grimpa le raidillon et arriva en haut pour voir Adnan Candenir s'éloigner en contournant un kiosque à musique.

Juri accéléra, passant devant le kiosque. Adnan Candenir avait ralenti. L'Estonien entendit soudain la neige crisser derrière lui. Il se retourna : deux hommes de type oriental venaient de surgir, contournant le kiosque et avançaient sur lui. Ceux qu'il avait vus au café. Au même moment, Adnan Candenir fit demi-tour et revint, les mains dans les poches.

Juri sentit sa gorge se nouer. Il était tombé dans un piège.

Fiévreusement, sa main tâta la crosse du Nagant sous son blouson et il regarda autour de lui. Il se trouvait à la hauteur des derniers étages des immeubles de Tulegatan, mais personne n'était à la fenêtre. Déjà Adnan Candenir marchait sur lui, menaçant.

— *Va' fan vill du* (1) ?

Juri ouvrit la bouche pour répondre quand deux bras le saisirent et ramenèrent les siens derrière son dos, l'immobilisant. Le regard d'Adnan Candenir descendit de son visage à son ventre. Le Kurde sortit la main de sa poche, tenant un poignard à la courte lame triangulaire.

Natalja Kippar rangea son arme et appuya sur le bouton de la minuterie, éclairant le couloir. Lee Updike avait l'air d'un spectre. Hagard, le regard fou. Elle avait déjà repris son sang-froid. Certaine qu'il n'avait pas vu son geste.

— Qu'est-ce que tu fais là ?

Elle n'avait pas besoin de jouer la surprise. Cette visite ne lui disait rien de bon.

Lee Updike prit l'air d'un enfant grondé.

— J'ai fait des cauchemars, bredouilla-t-il. Je pensais que les Américains t'avaient enlevée. J'ai appelé et cela ne répondait pas, alors je suis venu...

En une fraction de seconde, Natalja s'était jetée contre le jeune Américain, de tout son corps. Elle

(1) Merde, qu'est-ce que tu veux ?

l'embrassa, l'étreignit dans un murmure passionné :

— Tu es merveilleux, mon chéri. J'ai hâte d'être à ce soir.

— Où étais-tu ? demanda Lee Updike, têtu.

— J'avais rendez-vous à la gare très tôt avec une amie qui partait pour Uppsala et voulait me souhaiter mon anniversaire. J'ai pris un café avec elle et je suis revenue vite. Tu veux monter prendre le petit déjeuner ?

Elle l'entraîna, intérieurement froide comme un bloc de glace. C'étaient des incidents semblables qui faisaient mesurer la fragilité des plans les mieux conçus. Si Lee Updike était arrivé au moment où elle sortait de chez elle et l'avait suivie, c'était la catastrophe...

Dans l'escalier elle se frotta contre lui, achevant de le rassurer.

***

Juri Maran se contorsionna, mais ne put éviter la lame du poignard qui pénétra au-dessus de la boucle de sa ceinture et fut déviée par la crosse du Nagant. Normalement, le coup aurait dû l'éventrer et sectionner l'artère iliaque.

Il ressentit une brûlure atroce qui se propagea instantanément dans toute sa cage thoracique. Adnan Candenir retira sa lame et se prépara à frapper de nouveau. Ivre de douleur, Juri décocha une ruade si violente à un des hommes qui le tenaient que, touché au tibia, l'autre le lâcha. Le jeune Estonien, plié en deux, un fer rouge dans le ventre, les yeux brouillés par les larmes, arracha le Nagant de sa ceinture.

A la volée, il balaya l'air, frappant le second Kurde à la tempe du canon de son arme. Etourdi, ce dernier le lâcha à son tour.

Juri tituba, au bord de l'évanouissement. Les trois hommes étaient autour de lui, comme une meute de chiens autour d'un cerf blessé... Il vit un visage grimaçant, un autre couteau et instinctivement appuya sur la détente. Le Nagant tonna, une tache rouge apparut à côté du nez d'un des Kurdes, qui bascula en arrière. Adnan Candenir, de nouveau, lui enfonça son poignard dans le flanc.

Juri tira encore, mais sans toucher personne.

Adnan Candenir commençait à paniquer. Quelqu'un devait déjà être en train de téléphoner à la police...

Il jeta un ordre en kurde. Son complice arracha son écharpe et parvint à la passer autour du visage de Juri, l'aveuglant complètement. Un brutal coup de genou dans les reins le plia en deux et l'Estonien tomba. Adnan Candenir se ruait déjà sur lui. D'une violente manchette de la main gauche, il rejeta son menton prognathe en arrière. Puis, de gauche à droite, il balaya la gorge de son poignard, les cartilages, la trachée artère et une des carotides se sectionnèrent avec un bruit mou.

Le cri de Juri s'étouffa dans le sang, mais un appel lointain détourna une seconde l'attention de Candenir. Une femme observait la scène d'une fenêtre d'un des immeubles de Tulegatan, gesticulant comme une folle.

Juri Maran gisait sur le côté, agité des soubresauts de l'agonie. Adnan avait égorgé assez d'hommes pour savoir qu'il était pratiquement mort. Hagard, son complice surveillait le haut du raidillon donnant accès à la colline.

La femme à la fenêtre hurlait toujours comme une sirène. Les deux Kurdes couraient déjà vers Frejgatan. Une femme accompagnée d'un enfant surgit, grimpant le sentier. Elle s'écarta devant les deux hommes, mais l'enfant n'eut pas le réflexe d'en faire autant. Adnan Candenir arrivait sur lui. Trop tard pour s'arrêter sur le sol glissant et le sentier était trop étroit pour deux. L'enfant risquait de le faire culbuter dans le vide. Alors, sans cesser de courir, il shoota comme dans un ballon de foot, projetant le gosse vingt mètres plus bas dans Tulegatan.

Les hurlements de sa mère ameutaient le quartier lorsqu'Adnan démarra sur les chapeaux de roues, tournant aussitôt dans Odengatan. Cinq cents mètres plus loin, ils abandonnèrent le véhicule et s'engouffrèrent dans une bouche de métro. Une rame arrivait. Adnan Candenir s'effondra sur son siège. La journée commençait mal... S'il ne réagissait pas correctement, c'était la catastrophe.

Les Suédois lui pardonneraient peut-être Juri, mais pas le gosse... Il remarqua soudain que des taches de sang maculaient sa veste en mouton et s'appuya contre son complice pour qu'on ne les voie pas. Son cœur cognait contre ses côtes. Il lui restait très peu de temps pour se mettre à l'abri.

CHAPITRE XVI

Les essuie-glace écartaient inlassablement les flocons de neige qui s'obstinaient à venir s'écraser sur le pare-brise de la Volvo. Malko remontait Tulegatan à tombeau ouvert, déserte en ce dimanche matin. Seul, un chasse-neige nettoyait paresseusement les trottoirs.

Il freina pour éviter une procession de petites filles défilant des bougies sur la tête, sérieuses comme des papes. Façon suédoise de célébrer la Sainte-Lucie. On allait ainsi présenter des vœux à ses amis. Sa gorge était nouée par le remords et la fureur. Vingt minutes plus tôt, Kevin Hudson l'avait appelé pour lui apprendre la mort de Juri Maran. L'Américain devait déjà être sur place.

Une Volvo bleue et blanche de la police avec un gyrophare barrait la dernière section de Tulegatan qui se terminait en impasse. Tout le pourtour de la butte où avait été assassiné Juri était encerclé par des policiers, des ambulances. Quelques curieux tapaient la semelle dans le froid, et de nombreux habitants étaient à la fenêtre. Malko se gara un peu avant et continua à pied, l'estomac serré. Tout ce qu'il savait c'est que Juri était mort...

Il s'entendait encore lui ordonnant de suivre Adnan Candemir. Il l'avait envoyé involontairement à la mort. Il maudit la prudence ridicule de la CIA qui n'avait pas voulu envoyer des « baby-sitters », comme Chris Jones et Milton Brabeck. Eux ne se seraient pas fait assassiner... Un policier lui barra la route, devant le sentier escaladant la butte de Vanadislunden. Heureusement, Kevin Hudson, en conversation avec un civil, l'aperçut et vint lui faire franchir le barrage. L'Américain arborait un visage grave et des traits tirés.

— Ces salauds l'ont massacré, dit-il.

Malko le suivit en haut de la butte où les deux corps étaient étendus, dissimulés sous des bâches en plastique. Kevin souleva celle qui recouvrait Juri Maran et Malko eut envie de vomir. Le sang gelé formait un plastron rouge écarlate sur le devant de sa chemise. Il détourna les yeux pour ne pas voir la gorge ouverte. On rabattit le drap et Malko vit le Nagant à terre, entouré d'une cordelette rouge.

— Il s'est beaucoup défendu ? demanda-t-il.

— Oh oui ! Des voisins l'ont vu. Il a tiré deux fois sur ses agresseurs. Ils étaient trois. L'un d'eux a projeté un enfant dans Tulegatan. Le gosse est en réanimation avec une fracture du crâne. Au mieux, ce sera un légume toute sa vie, au pire, il y reste.

Beau résultat. Malko chercha le regard de l'Américain qui se déroba. Sale histoire. Le policier suédois les observait, le visage fermé.

— Vous avez parlé aux Suédois ? demanda Malko.

— La Säpo n'ignorait pas que Juri travaillait un peu pour moi, expliqua Kevin, ils m'ont prévenu aussitôt.

— Ils ne vous ont pas demandé pourquoi Juri se trouvait là ?

— Si.

— Vous leur avez dit ?

— Non.

Le policier suédois s'approcha, salua Malko d'un

signe de tête, et s'adressa en anglais à Kevin Hudson.

— Nous venons d'identifier l'autre mort, annonça-t-il. Il s'agit d'un ressortissant irakien, un partisan de Nouri Okalan. Il est entré en Suède il y a trois mois. Membre du PKK. Aucune condamnation. Il ne portait pas d'arme.

— Vous savez où il habitait ?

— Oui.

Il sortit un petit carnet.

— Voilà, Rinkeby, Trondheimsgatan 44.

C'était également l'adresse d'Adnan Candenir. Ni Malko, ni Kevin Hudson ne bronchèrent... Le policier suédois leur lança un coup d'œil lourd de sous-entendus, referma son carnet et lâcha d'une voix lente :

— Je vous jure que nous aurons ces salauds ! Votre aide nous sera précieuse, dit-il avant de s'éloigner.

Kevin Hudson jeta un ultime regard à la bâche recouvrant le cadavre de Juri Maran, puis pivota à son tour.

— Allons à Rinkeby, dit-il.

Trondheimsgatan grouillait de policiers, les deux extrémités de la rue barrées par des Volvo bleues et blanches. Des enquêteurs faisaient du porte à porte, cherchant à obtenir des informations. Mais dans ce coin, où n'habitaient guère que des travailleurs immigrés, ce n'était pas évident. Kevin Hudson et Malko se frayèrent un chemin jusqu'au 44. Un policier s'avança vers eux et serra la main de l'Américain.

— Je m'attendais à vous voir, dit-il.

L'Américain se tourna vers Malko et le présenta.

— M. Linge, le commissaire Husler, de la Säpo... Vous avez trouvé quelque chose ?

— Rien, avoua le Suédois, nous sommes arrivés trop tard. Cinq Kurdes ont quitté leur chambre il y a une heure. Deux d'entre eux correspondent au signalement des assassins de Tulegatan. Nous avons lancé un avis de recherche. Nous les coincerons...

— Vous les connaissez ? demanda Kevin Hudson.

— Ces types étaient sous surveillance. A cause de leur appartenance au PKK. Mais nous n'avions rien de précis à leur reprocher...

Malko et l'Américain regagnèrent leur voiture. Plutôt moroses.

— Vous êtes certain que vous ne voulez pas les mettre sur la piste ? demanda Malko.

Kevin Hudson lui expédia un regard glacial.

— Absolument certain. Tout ce que je pourrais leur dire c'est qu'ils sont chargés de protéger Natalja Kippar. Si celle-ci voit ses « baby-sitters » se faire arrêter par les Suédois, elle annulera ce qu'elle a l'intention de faire... Nous aurons travaillé pour rien et cela ne ressucitera pas Juri.

Le chef de poste de la CIA conduisait lentement, redescendant vers le centre de Stockholm. Il était blême.

— J'aurais dû vous écouter pour les « baby-sitters », dit-il d'une voix lasse, mais j'ai sans arrêt l'ambassadeur sur le dos qui me supplie de tout faire pour qu'il n'y ait pas d'incident avec les Suédois. Ils sont tellement susceptibles avec nous...

Malko enrageait de se dire que Juri était mort pour ménager la tranquillité d'un diplomate. Evidemment, les Américains n'avaient pas de supplétifs kurdes, eux.

— Tant pis, dit Malko, nous allons assurer la filature de Natalja.

— Qui ça « nous » ?

— Olli Karhula et moi. Je l'ai eu ce matin au

téléphone. Nous nous sommes longuement parlé. Il tient à rester avec moi aujourd'hui. Il a peur que je commette des horreurs avec la douce Natalja...

— Mais si ces Kurdes vous interceptent ?

— Rassurez-vous, dit Malko, je ne finirai pas comme Juri. Retournez à votre bureau. Dès que je jugerai que la situation peut m'échapper, je vous préviens. Les Suédois ne se feront pas prier pour cueillir les assassins de Tulegatan.

— C'est terriblement imprudent, objecta l'Américain. Je vais vous donner un walkie-talkie, c'est plus souple qu'un téléphone. Au moins, nous aurons une liaison fiable.

— C'est ça, fit Malko, ainsi je serai encore chaud quand vous arriverez.

L'amertume l'étouffait. Une seule idée l'obsédait : venger le candide Juri Maran.

*
**

Olli Karhula, en pantoufles, était en train de jouer avec sa radio amateur. Il serra la main de Malko, surpris.

— Il n'est pas une heure et demie : j'allais vous rejoindre au *Grand Hôtel.*

— Juri Maran est mort, annonça Malko.

Le gros Finlandais écouta son récit en essuyant les verres épais de ses lunettes quand Malko mentionna le rôle de Natalja.

— Vous voulez dire qu'on a tué Juri parce qu'il va vraiment se passer quelque chose de grave aujourd'hui ? demanda-t-il.

— Exact, dit Malko.

— On va essayer d'enlever ce Lee Updike ?

— Probablement. Avec l'aide de Natalja.

Olli secoua la tête.

— Je n'y crois pas.

— Vous verrez par vous-même, dit Malko.

Il regarda sa Seiko-Quartz. Onze heures. Il avait trois heures devant lui pour s'organiser... Dans sa voiture, il avait deux puissants Motorola.

— Olli, demanda-t-il, vous voulez vraiment venir? Cela peut être très dangereux. Vous avez vu ce qui est arrivé à Juri.

Olli Karhula haussa les épaules.

— Vous croyez que j'ai une vie marrante, avec mon insuline?

Olli Karhula bavardait avec le soldat gardant la maison d'Olaf Palme lorsque Lee Updike sortit du *Lord Nelson* portant un gros carton et s'éloigna à pied. Le Finlandais s'imposa de parler encore quelques secondes, avant de partir, longeant les vitrines dans la rue piétonnière. Lee Updike marchait d'un pas rapide. Il déboucha sur l'esplanade devant le château royal et tourna à gauche dans Riddarhustorget, la rue filant vers la petite île de Riddarholmen. Là, il s'immobilisa à un arrêt d'autobus, observant attentivement toutes les voitures arrivant de Vasabron, le pont reliant la vieille ville à Stockholm. Olli Karhula se retourna, le surveillant dans le reflet d'une vitrine de jouets.

Cinq minutes plus tard, il aperçut la poussive Volkswagen de Natalja Kippar qui s'engageait sur le pont. Elle vira à droite et s'arrêta en face de Lee Updike qui monta aussitôt à bord avec son paquet. L'estomac d'Olli Karhula se tordit de jalousie. Au lieu de redémarrer immédiatement, la jeune femme s'était jetée dans les bras de Lee Updike qui l'étreignait avec passion.

Olli pencha la tête et dit dans le micro du Motorola.

— Elle vient d'arriver.

Malko était garé dans Stora Gråmunkegränd, une petite rue transversale.

Natalja et Lee se détachèrent et la Volkswagen continua tout droit vers Riddarholmen, passant au-dessus de la voie rapide qui menait au sud de Stockholm.

Olli Karhula quitta son poste d'observation. Trente secondes plus tard, la Volvo de Malko surgit et il se rua dedans. La Volkswagen avait déjà disparu.

— Vite ! dit-il. Tout droit !

Lee Updike avait l'impression d'être au paradis. Sous les doigts de sa main gauche, il avait la cuisse fuselée, tiède et ferme de Natalja. La jeune femme gloussa comme il essayait de remonter plus haut.

— Attends un peu, nous avons toute la nuit !

Elle faisait le tour de Riddarholmen, afin de rattraper Centralbron, la voie express vers le sud.

— Où allons-nous ? demanda Lee Updike.

Natalja eut un sourire mystérieux.

— C'est une surprise.

Le jeune Américain s'en moquait, au fond. Elle l'aurait emmené en enfer, il aurait encore été fou de joie. Elle attendit un peu au stop de la rampe d'accès à la voie rapide et se glissa dans la circulation intense de Centralbron enjambant le bras de mer les séparant de Stockholm sud.

— Prenez à droite ! cria Olli Karhula.

A leur tour, ils venaient de franchir la passerelle enjambant Centralbron et redescendaient dans l'île de Riddarholmen. Coupant à travers les petites rues, Olli guida Malko jusqu'à la bretelle de Centralbron.

La Volkswagen de Natalja avait disparu depuis longtemps.

— Où allons-nous ? demanda Malko.

— Elle est devant, fit le Finlandais, il n'y a pas d'autre chemin.

Malko accéléra au moment de plonger dans la partie souterraine de la voie rapide. Doublant des dizaines de véhicules. A la sortie du tunnel, il aperçut enfin la vieille Volkswagen de Natalja entre deux camions.

— La voilà !

Il ralentit. La circulation était intense et Natalja ne pouvait les repérer. Elle ne semblait pas suivie par une voiture de protection.

Ils continuèrent dans la banlieue sud-est de Stockholm, passant devant de grands brise-glace à quai... Le jour commençait à tomber. Il était quatorze heures trente. Olli Karhula regarda autour de lui.

— On dirait qu'on va vers Skärgården (1), remarqua-t-il.

L'Archipel était un fouillis de petites îles à l'est de Stockholm, les unes reliées à la terre, les autres accessibles uniquement par bateau, où tous les Suédois se ruaient l'été. L'hiver, elles étaient désertes à part quelques fous, des pêcheurs et les mouettes. Le paysage dénudé avait fait place à une végétation rabougrie, coupée de villages tirés au cordeau.

Malko leva le pied, la circulation étant beaucoup moins dense et maintenant, il n'y avait plus de risques de perdre la Volkswagen de Natalja Kippar. Encore une demi-heure et la nuit serait totalement tombée. Un lac apparut ; puis, une crique déjà prise par la glace.

(1) L'Archipel.

Malko regarda son rétroviseur. Personne. Ce qui était plutôt rassurant.

— On va vers Gustavsberg, annonça Olli Karhula, impassible.

Les doutes de Malko se transformaient en certitudes : le KGB avait préparé pour Lee Updike une exfiltration par la Baltique.

CHAPITRE XVII

Le soleil disparut derrière les maigres sapins recouverts de neige de l'île de Ormingelandet, laissant une pâle lumière qui allait s'estomper en moins d'une heure, faisant place à la nuit. Lee Updike abandonna une seconde la cuisse de Natalja pour consulter sa montre : trois heures moins cinq.

Presque aussitôt, la Volkswagen s'engagea sur un énorme pont métallique enjambant un bras de mer entre Ormingelandet et Värmdölandet. Un cargo défilait à plus de trente mètres au-dessous d'eux. La route continuait, sinuant entre les mêmes sapins maigrelets. Lee Updike avait l'impression d'être au bout du monde. Il se demanda pourquoi Natalja avait choisi cet endroit plutôt sinistre pour une soirée d'anniversaire.

— Où allons-nous ? demanda-t-il.

— Dans une maison que m'ont prêtée des amis, expliqua Natalja. C'est un endroit superbe au bord de la Baltique.

— Et tes amis ?

Elle lui adressa un sourire complice.

— Juste toi et moi. Je veux que tu te rappelles toute ta vie de cette soirée.

— Nous ne pouvions pas rester à Stockholm ?

— Dans ta chambre d'hôtel ? Chez moi, où c'est triste et minuscule ? Là-bas, c'est un bungalow confortable avec une cheminée où nous allons faire du feu, et la mer à nos pieds. J'ai toujours rêvé de m'y retrouver avec un homme que j'aimerais...

Convaincu, Lee Updike n'insista pas. Les femmes étaient des animaux bizarres dont il ne fallait pas discuter les caprices. Natalja conduisait doucement, se guidant sans hésiter dans les innombrables ramifications de la route, comme si elle avait vécu là toute sa vie, traversant de microscopiques agglomérations. Quelques maisons, une station d'essence, des boutiques, des enfants qui se battaient à coups de boules de neige. Ensuite, on retombait dans cette espèce de toundra pelée, recouverte d'une couche blanche, coupée de criques où l'eau gelée formait un miroir. Partout des bateaux sur des échafaudages devant de petits bungalows en bois, inhabités l'hiver.

— Nous allons nous arrêter prendre de quoi manger, annonça Natalja. J'ai commandé par téléphone.

Ils parcoururent encore quatre kilomètres entre les sapins et Lee Updike aperçut un panneau annonçant : « Lillströmsudd » et une rangée de boutiques en face d'une scierie. La dernière était une pizzeria. Natalja se gara dans le parking, sans arrêter le moteur.

— Attends-moi.

Lee Updike tua le temps à contempler un vieux Suédois, qui perché sur une barrière de bois, regardait tomber les rares flocons de neige, devisant amicalement avec une bouteille d'aquavit. De nouveau, la température baissait.

Natalja réapparut, portant des paquets qu'elle posa sur le siège arrière de la Volkswagen. Elle reprit le volant, et passa la marche arrière.

— Nous sommes presque arrivés, annonça-t-elle. Encore une demi-heure de route.

*
**

La filature était devenue plus difficile. Souvent Malko était obligé de ralentir afin de laisser une distance suffisante entre les deux véhicules, la circulation étant presque inexistante... Sa hantise était que la voiture conduite par Natalja, un instant hors de sa vue, plonge dans un des innombrables chemins de traverse qui s'enfonçaient dans les bois de sapins, menant à des bungalows ou à des criques. Il risquait de mettre des heures à les retrouver. La nuit était pratiquement tombée, mais il faisait encore assez clair pour qu'on puisse discerner la forme des objets... Il freina brutalement.

La Volkswagen venait de se garer. Il se dissimula derrière un camion chargé de bois à l'arrêt et attendit. Natalja était entrée dans une pizzeria.

— Où sommes-nous ? demanda-t-il à Olli Karhula.

— Au cœur de l'archipel, expliqua le Finlandais. Je me demande ce qu'elle vient faire ici. Il n'y a personne en hiver...

Déjà Natalja repartait. Elle n'avait pas parcouru trente mètres que trois hommes sortirent de la pizzeria et s'engouffrèrent dans une petite Saab grise qui démarra dans la même direction que la Volkswagen. Malko déboîta à son tour, s'abritant derrière eux. Le pouls à 130 ! Les « baby-sitters » entraient en scène ! La route était de plus en plus étroite et sinueuse, montant et descendant à travers des bois de sapins, traversant des villages déjà calfeutrés, longeant des bras de mer ou de petits lacs sur la glace desquels s'ébattaient quelques canards frigorifiés...

— Mais bon sang où allons-nous ? grommela Malko.

Olli Karhula semblait connaître parfaitement la région.

— Nous venons de traverser l'île de Djurö, expliqua-t-il, une des dernières accessibles par la route. Bientôt, nous allons franchir un pont pour atteindre l'île de Vindo. C'est de là que partent les ferries qui desservent les îles à l'est de l'archipel, en pleine mer.

— Et ensuite ? Où va cette route ?

— Ensuite, il y a la Baltique, dit Olli. Il faut rebrousser chemin.

Les feux rouges de la Volkswagen étaient la plupart du temps cachés par la voiture qui avait démarrée de la pizzeria... Ils arrivèrent au pont annoncé par Olli.

— En cette saison, il n'y a pas de ferries ? demanda Malko.

— Quelques-uns.

— Et où vont-ils ?

— Sur les îles de Harö et Runmarö qui sont un peu peuplées. La vie est très dure. Elles sont souvent prises par les glaces l'hiver...

Mentalement, Malko se représenta la carte de l'archipel. A moins de deux cents kilomètres, de l'autre côté, il y avait l'Estonie, colonie soviétique. Les Suédois étaient connus pour laisser des sous-marins soviétiques approcher de leurs côtes régulièrement. Avec ces milliers d'îles, il était pratiquement impossible d'exercer une surveillance efficace. Ils franchirent un bras de mer et atteignirent l'île de Vindö. A gauche des sapins, à droite des sapins ! Soudain, la voiture de Natalja tourna dans un chemin à droite, s'enfonçant dans les bois.

Quelques instants plus tard, la seconde voiture en fit autant.

Malko passa devant l'embranchement où elles avaient disparu. Il aperçut les feux de la Saab s'évanouissant dans une courbe et s'arrêta avec un juron : impossible de suivre dans ce sentier forestier sans se faire repérer ! Il se tourna vers Olli.

— Où peuvent-ils aller ?
— Dans un des bungalows d'été qui foisonnent ici. Mais nous les retrouverons ; la seule façon de sortir de l'île c'est par cette route et ce pont.
— Et le ferry ?
— Ils auraient continué tout droit...
Malko regarda l'épais bois de sapins. Natalja avait emmené Lee Updike dans ce coin perdu avec un but précis. Il ne devait pas être impossible à un sous-marin ou à une petite embarcation style Zodiac de s'approcher jusqu'à cette côte déserte en hiver et d'embarquer le jeune Américain.
Seul, il lui était difficile de s'opposer à une tentative de ce genre. C'était le moment d'alerter Kevin Hudson.
Il redémarra, atteignant, trois cents mètres plus loin, l'extrémité de l'île. Une baie à l'eau immobile parsemée de plaques de glace avec un embarcadère désert et un panneau où il lut que le dernier ferry pour Harö partait à midi trente. Malko prit un des Motorola et le mit sous tension, puis commença à appeler.
— K, vous m'entendez ? K, vous m'entendez ?
Rien, aucune réponse. Seulement le bruit de fond. Il sortit de la voiture pour obtenir une meilleure écoute, sans plus de résultat. En dépit de la puissance de deux watts, l'appareil ne portait pas à plus d'une dizaine de kilomètres... Premier accroc au plan de Kevin Hudson. Il revint à la Volvo et annonça à Olli Karhula :
— Il faut trouver un téléphone.
Il reprit la route par laquelle ils étaient venus et trois cents mètres plus loin, la Saab jaillit presque sous son capot venant du chemin où elle avait disparu. Malko eut le temps d'apercevoir trois hommes à bord. Elle filait vers l'ouest. A bonne distance, il la vit franchir le pont et ses feux disparurent. Un flot d'adrénaline se rua dans ses

artères. Le coffre de la Saab était trop petit pour dissimuler un homme. De deux choses l'une : ou le kidnapping de Lee Updike avait déjà eu lieu, ce qui était possible si un commando soviétique l'attendait, ou l'opération se passerait plus tard pour une raison que Malko ignorait. Dans le premier cas, c'était la catastrophe ; et de toute façon, il était trop tard pour réagir.

— On les suit, dit-il à Olli.

Dans ce sens, c'était plus facile. Il recolla aux feux et garda une distance raisonnable.

Vingt minutes plus tard, la Saab s'arrêtait devant la pizzeria. Malko avança encore un peu, se gara à son tour et vit en sortir trois hommes engoncés dans des canadiennes. Ils entrèrent dans la pizzeria, éclairés fugitivement par le néon de l'enseigne.

Celui qui conduisait était Adnan Candenir.

Olli Karhula lâcha de sa voix épaisse et calme :

— C'est ce salaud de Kurde ! Qu'est-ce qu'il fait là ?

Pour Malko la réponse n'était que trop évidente. Il était engagé dans une mortelle course contre la montre dont l'enjeu était Lee Updike. Il aperçut un peu plus loin une cabine téléphonique.

— Olli, allez faire un tour dans les boutiques pour vous renseigner sur cette pizzeria. Moi, je vais téléphoner.

Kevin Hudson devait être assis sur le téléphone car il décrocha en un quart de seconde.

— Où êtes-vous ? interrogea-t-il d'une voix tendue. Pourquoi n'utilisez-vous pas la radio ?

— Parce que nous sommes hors de portée, fit Malko, tout aussi énervé. Vous auriez dû vérifier ce fichu matériel. Nous sommes dans l'archipel, au diable...

— Et Lee Updike ?

— J'espère que les Soviétiques ne l'ont pas encore enlevé, fit Malko.

— Quoi !

Le cri de Kevin Hudson sortit de ses tripes. Malko se dit que c'était la moindre des choses qu'il partage son angoisse... Il lui résuma rapidement les événements depuis leur départ de Stockholm, concluant :

— Si elle n'est pas déjà faite, l'opération va se dérouler avec un sous-marin ou un petit bateau rapide, ou les deux.

— Mais qu'est-ce que vous attendez pour aller voir s'il est encore là ? trépigna l'Américain. Dépêchez-vous, bon sang !

— Débarrassez-moi d'abord des Kurdes, dit Malko, je vous rappelle ensuite. Prévenez la Säpo que l'assassin de Tulegatan se trouve ici, à la pizzeria de Lillströmsudd. Qu'ils rappliquent d'urgence. A tout à l'heure !

Olli Karhula arrivait à grandes enjambées, les lunettes pleines de givre. Malko démarra avant même qu'il ne soit complètement assis.

— La pizzeria est tenue par un Kurde installé ici depuis deux ans, annonça-t-il. Le dimanche, il y a toujours beaucoup de Kurdes qui viennent voir leur copain.

Couverture idéale.

Un quart d'heure plus tard, il atteignait le chemin où avait disparu la voiture de Natalja. Il gara sa Volvo cent mètres plus loin, sur le parking désert d'un supermarché fermé. Puis les deux hommes s'engagèrent à pied dans la sente verglacée et couverte de neige. On distinguait vaguement, grâce à la lumière résiduelle du jour, des traces de pneus. Pour eux pas question d'y aller en voiture : on entendait un bruit de moteur à des kilomètres. De chaque côté, c'était le sous-bois de sapins, sombre avec des plaques de neige. Ils parcoururent une centaine de mètres en silence, leur pas faisant crisser la neige.

Malko aperçut une masse sur sa gauche. Un

bungalow fermé devant lequel se trouvait une barque sur des tréteaux.

— Il y en a beaucoup ? demanda-t-il.

Olli Karhula éternua bruyamment.

— Des dizaines, dit-il.

Devant eux, le sentier plongeait vers l'est, se perdant dans l'obscurité, se ramifiant en des dizaines de chemins, menant chacun à une maison. Malko serra au fond de sa poche la crosse de son pistolet extra-plat. Priant pour que les Soviétiques ne soient pas déjà intervenus.

*
**

Malko ne sentait plus ni ses pieds, ni ses mains, ni ses oreilles. Derrière lui, Olli Karhula grognait comme un ours dérangé en pleine hibernation.

Essoufflé, Malko fit une pause, s'appuyant à un bateau posé sur un échafaudage, en face d'un bungalow cadenassé.

Le trentième qu'ils découvraient ! Revenant sur leurs pas, glissant, descendant puis remontant des sentiers de chèvres dans un silence minéral. Parfois, ils débouchaient sur une crique gelée ou un petit lac. Ils avaient la sensation frustrante de tourner en rond dans ces bois inhospitaliers. Impossible de s'aider des traces de pneus. Gelé, le sol était dur comme de l'acier. Même un tank n'aurait pas laissé d'empreintes. Malko n'osait pas allumer sa torche électrique de peur de se faire repérer.

Malko avait tenu le compte de tous les embranchements visités, progressant avec une lenteur exaspérante. Si Lee Updike avait été déjà kidnappé, il était en Estonie.

Il avait l'impression d'avoir traversé la Sibérie. Encore deux sentiers à explorer. L'un suivait le pourtour d'un petit lac, l'autre s'enfonçait dans un vallonnement.

— Je prends celui du bas, dit Malko.

Olli Karhula partit le long du lac, et lui s'engagea dans les ornières glacées plongeant en contrebas. Sa Seiko-Quartz indiquait cinq heures et quart, et son dernier contact avec Kevin Hudson datait de une heure un quart ! L'Américain devait grimper aux murs... Il marchait comme un automate, essayant de ne pas glisser.

Malko faillit soudain pousser un cri de joie. A travers la masse noire des sapins, il venait enfin de distinguer une lumière.

Il déboucha au bord d'une crique assez grande au bord de laquelle était construit un bungalow en bois dont il avait aperçu la grande baie éclairée. Deux bateaux reposaient sur des tréteaux et la Volkswagen de Natalja se trouvait garée à côté !

L'eau de la crique était comme morte, écrasée par des plaques de glace.

Malko s'appuya à un arbre, ivre de joie. De la maison, on ne pouvait le voir, à cause de la pénombre. Il examina les lieux. La crique communiquait avec la haute mer par un chenal. Un ponton s'avançait sur une vingtaine de mètres. De l'autre côté, c'était la Baltique. Idéal pour un discret enlèvement par mer.

Retenant son souffle, Malko se glissa à travers les arbres jusqu'au bungalow. Le cœur battant la chamade. Il ne sentait même plus l'air glacé qui lui brûlait les poumons.

La baie éclairée l'attirait comme un aimant. Lee Updike était-il encore là ?

*
**

Allongé sur une couverture de fourrure en face de la cheminée, Lee Updike se disait que la vie était belle. Cet endroit était romantique à souhait, le Dom Pérignon pétillait doucement dans son verre et

Natalja allait être à lui... D'abord, il avait été étonné et presque inquiet de se retrouver dans cette maison isolée. Puis, Natalja avait mis le chauffage en route, de la musique et allumé un feu dans la cheminée.

Enfermée dans sa chambre, elle lui préparait la surprise de son anniversaire.

Il se dit qu'elle avait eu une excellente idée. C'était quand même plus romantique que sa petite chambre d'hôtel. Il avait l'impression d'être véritablement seul au monde avec elle... Elle réapparut et vint s'installer à côté de lui. Son contact enflamma Lee, il voulut l'allonger sur la couverture en fourrure, mais elle se dégagea.

— Attends ! Nous allons dîner d'abord et souffler mon gâteau d'anniversaire. Nous ferons des photos. J'ai un appareil qui marche tout seul.

Elle lui montra un Konika rouge flambant neuf. Lee se serait bien passé de gâteau et de photos mais se résigna. Après tout, il avait le temps, maintenant. Fermant les yeux, il imagina sa vie en Suède avec Natalja. Décidément, il n'irait pas en Finlande avec Ingrid.

Malko arriva essoufflé en haut du sentier et distingua dans la pénombre la haute silhouette d'Olli Karhula.

— Je les ai trouvés ! lança-t-il à voix basse.

Il avait fait trois fois le tour de la maison pour être sûr que seuls Natalja et Lee Updike s'y trouvaient. Aucun autre véhicule en vue.

— Qu'est-ce qu'on fait ? demanda Olli.

— On file prévenir Kevin Hudson, fit-il.

Il ignorait totalement quand les Soviétiques allaient se manifester. Tout seul avec son pistolet extra-plat c'était un peu juste pour tenir tête à un commando qui serait sûrement puissamment armé.

Cette fois, ils ne mirent que dix minutes pour retrouver la grande route. Olli regarda autour de lui.

— Je crois savoir où il y a une cabine, dit-il, prenez le chemin qui descend, à gauche.

Ils débouchèrent sur un petit port désert où se dressaient trois cabines.

— Vous l'avez trouvé ? jeta anxieusement Kevin Hudson.

Malko lui offrit dix secondes de cauchemar avant de dire « oui »...

Le soupir de l'Américain venait du fin fond de ses poumons.

— *Holy cow!* fit-il. Je crois que je vais avoir un infarctus.

Malko se mit en devoir de lui expliquer le plan probable des Soviétiques, concluant :

— Je vais rester ici, en « sonnette », pendant que vous prévenez les Suédois.

— Pour les Kurdes, annonça Hudson, il n'y a plus de problème. J'ai signalé la présence d'Adnan Candenir à la pizzeria de Lillströmsudd et toute la police de Stockholm est en train de rappliquer. Mais l'autre partie est plus délicate. Il faut les convaincre qu'il y a bien une tentative soviétique d'enlèvement de Lee Updike.

— Ils n'ont qu'à leur tendre une souricière, suggéra Malko. Ils verront bien eux-mêmes.

— Vous ne connaissez pas les Suédois ! A l'idée de se heurter physiquement à un commando soviétique, ils en ont des boutons. Je sais comment ils vont procéder ; ils vont arriver en force et faire tellement de ramdam que pas un Soviétique ne se montrera. Nous aurons l'air de farceurs et Natalja Kippar n'aura plus qu'à recommencer un peu plus tard.

— Alors, on laisse filer Lee Updike, conclut Malko.

— Arrêtez votre humour, fit sèchement Kevin

Hudson. Cette opération va fatalement se dénouer dans les heures qui viennent. Je crois que la meilleure idée est la suivante. Lee Updike doit être convaincu que les Soviétiques ont essayé de l'enlever. Il faut qu'il les voie! Mais qu'ils repartent les mains vides bien entendu...

— C'est la quadrature du cercle, remarqua Malko.

— Peut-être pas. Si vous preniez le contrôle de ce bungalow et que vous les attendiez? Il suffit d'une réaction au dernier moment de votre part pour les décourager. Ils ignoreront que ce n'est pas un piège de la Säpo. Eux non plus n'ont pas envie de se heurter aux Suédois...

— C'est plutôt risqué, remarqua Malko. S'ils passent outre, je suis mort et Lee Updike se retrouve entre leurs mains.

— Je les connais, affirma péremptoirement Kevin Hudson. Ils ne prendront pas un risque de cette nature. Ils sont très hiérarchisés. Au premier coup de feu, ils battront en retraite, mais Lee Updike sera convaincu... De plus, il y a sûrement un téléphone dans ce bungalow. Dès que vous repérez les Soviétiques, vous m'appelez. Je préviens aussitôt la patrouille navale des garde-côtes pour qu'ils les interceptent. Avec un peu de chance, ils y arriveront. Et Lee Updike sera alors vraiment convaincu.

— Et en prime, demanda Malko, vous ne voulez pas que je m'empare de leur sous-marin? Ça pourrait toujours servir...

Kevin Hudson ne répondit pas, vexé par ce persiflage, puis il continua :

— Je vous assure que c'est très jouable...

Evidemment, du bureau de l'ambassade, c'était un magnifique *Krigspiel* qui ménageait les nerfs fragiles des Suédois. Le genre de plan pacifique élaboré par les bureaucrates de la CIA qui se terminait d'habitude par un bain de sang.

— Rappelez-moi dès que vous serez dans le bungalow, demanda Kevin Hudson.

Malko raccrocha, à court d'arguments et regagna la Volvo.

— Olli, annonça-t-il, nous sommes chargés d'arrêter à nous tout seuls un commando soviétique...

CHAPITRE XVIII

Olli Karhula ôta ses lunettes et les essuya lentement avec un énorme mouchoir à carreaux. Pas troublé le moins du monde.

— Comment allons-nous faire ?

Malko lui jeta un regard plutôt suffoqué. Il réagissait comme un vieux routier du Service Action.

— Olli, précisa-t-il, nous ne tournons pas un film. Nous risquons notre vie. Moi, à la rigueur, c'est mon métier, mais pas vous...

Le Finlandais remit ses lunettes et laissa tomber de sa voix lente :

— Moi, j'ai une vie de merde avec mes piqûres, je gagne neuf mille couronnes et je n'ai pas touché une femme depuis que Natalja est partie. Alors, si je peux m'amuser un peu...

« D'abord, rien ne dit qu'il va arriver quelque chose... C'est vous qui le pensez. Ils vont peut-être passer la soirée ensemble, tout simplement.

Il y avait une chance sur un million d'après Malko, mais celui-ci réalisa qu'Olli Karhula voulait aller au bout de ses illusions. C'était une façon comme une autre d'exorciser son fantasme...

Sans le commando kurde, la partie était jouable car Malko partageait entièrement l'analyse de Kevin Hudson. Si les Soviétiques rencontraient la moindre résistance, ils n'insisteraient pas, de peur de créer un incident diplomatique de première grandeur.

Cela suffirait-il à convaincre Lee Updike ?

C'était une autre histoire...

— On retourne au bungalow, dit-il. Ce serait bête de les voir filer sous notre nez.

Ils firent demi-tour et repartirent dans la sente enneigée et déserte, regagnant le parking où ils avaient déjà laissé la Volvo. Ils descendirent, immédiatement balayés par une rafale qui semblait arriver droit du Pôle Nord. Olli Karhula demanda, placide :

— Qu'est-ce qu'on va faire avec ces Russes ?

— Voilà le plan, dit Malko. Nous allons les surprendre au bungalow, et neutraliser Natalja. Ensuite, j'expliquerai à Lee Updike ce qui se passe.

— Il ne vous croira pas...

— Quand il verra arriver le commando soviétique, il me croira...

— Mais ils vont nous massacrer ! objecta-t-elle.

— Il y a un petit danger, admit Malko, mais extrêmement limité. Cette opération comporte pour les Soviétiques un énorme risque politique. J'ai l'intention d'attendre pour agir qu'ils aient mis pied à terre. Et d'essayer d'en toucher un si possible...

— Ils vont riposter...

— Je ne crois pas, dit Malko. Ils ne sont pas venus envahir la Suède... Et ils ne sauront pas qui leur tire dessus. Et si c'était la police suédoise ? Imaginez l'effet que ferait un Soviétique abattant un policier sur le sol suédois... Si j'étais le chef de ce commando, je battrais en retraite immédiatement devant ce cas non conforme. Pensant à une trahison... De plus, en s'attardant, ils risqueraient de faire repérer le sous-marin ou le navire qui les a amenés...

— Vous devez avoir raison, admit Olli, mais c'est quand même un sacré risque...

— C'est la raison pour laquelle je préférerais l'assumer seul.

Le gros garçon prit l'air buté.

— Non. Je veux voir la tête de Natalja. Elle m'a toujours pris pour un imbécile... Jamais je ne croyais qu'elle essaierait de me faire tuer.

Ils étaient arrivés en face du bungalow. On ne voyait presque plus de lumière : les rideaux avaient été tirés. Aucun signe de vie nulle part, nulle embarcation dans la petite crique.

Malko sortit son pistolet extra-plat, vérifia le chargeur et fit monter une balle dans le canon. La culasse claqua avec un bruit étouffé à cause de la graisse gelée par le froid.

— On y va, dit-il.

En ce moment, les Kurdes de Lillströmsudd devaient déjà être arrêtés.

⁂

Lee Updike attendait, le cœur battant, appuyé sur un coude, allongé sur la couverture en fourrure. Avant de sortir de la pièce, Natalja avait éteint et seules les flammes du feu de bois dispensaient un peu de lumière.

Elle lui avait promis une surprise.

— Tu es prêt ?

Sa voix venait de la chambre.

— Viens ! cria-t-il.

Elle poussa la porte. C'était comme dans un conte de fées. Il ne vit d'abord que la lueur tremblante des bougies fixées à une sorte de couronne posée sur les cheveux noirs de Natalja. Sa bouche peinte semblait phosphorescente. Le regard de l'Américain descendit et sa gorge se noua de désir. Au lieu de la longue robe blanche de la « Sainte Lucie », Natalja était enveloppée dans son nouveau manteau de renard sous lequel elle n'avait qu'un slip blanc en dentelles, assorti à des bas faits d'une matière brillante comme un collant de danseuse. Les escarpins de satin blanc étaient ornés de petits strass qui étincelaient comme de vrais diamants.

Natalja ouvrit les bras.

— Je suis la fée de l'amour, dit-elle d'un ton enjoué. Viens me rendre hommage. Aujourd'hui, je t'appartiens.

Lee Updike sauta de la couverture de guanaco, médusé. Même dans ses rêves les plus fous, il n'aurait jamais imaginé une telle mise en scène.

Il s'approcha, passa une main autour de la taille nue et attira la jeune femme contre lui. Un jet de feu se déversa dans ses veines. Natalja, d'une ondulation serpentine, se frottait contre lui, comme si elle avait voulu pénétrer sous sa peau. La tête très droite à cause des bougies. Lee Updike poussa un gémissement ravi. Telle une araignée de velours, les doigts de Natalja exploraient son bas-ventre. Ses mains à lui couraient sur la peau de la jeune femme, effleurant les seins, les hanches, la croupe cambrée. Il aurait voulu la toucher partout à la fois.

Natalja murmura :

— Tu peux faire tout ce que tu veux de moi... Viens.

Il lui ôta sa couronne flamboyante et se rua sur elle. Ils se laissèrent tomber sur la couverture en fourrure. Fébrilement, Lee Updike se débarrassa de ses vêtements, découvrant une érection à faire honte à un étalon.

Natalja attendait, allongée sur le dos, les genoux un peu repliés. Il tira sur le slip de dentelles et docilement, elle souleva les reins pour lui permettre de le faire glisser le long de ses jambes. Son pubis était soigneusement épilé en un triangle noir et brillant. Lee Updike retenait son souffle. Il n'avait jamais vu une femme aussi désirable.

— Veux-tu que je garde mes bas et mes chaussures ? demanda Natalja d'une voix douce.

— Oui.

Sa voix était si rauque qu'elle en était méconnaissable. Soudain, elle glissa sur lui, se frottant de tout son corps contre le sien. Il la saisit par les hanches, essayant de l'immobiliser pour la prendre. Chaque fois qu'il voulait se ruer en elle, Natalja s'esquivait. Enfin, elle prit de la main gauche le sexe dur et enflé pour le guider.

Lee Updike donna aussitôt un violent coup de rein qui le propulsa au fond du ventre de Natalja. Celle-ci se laissa aussitôt tomber sur lui, comme pour s'empaler encore plus...

Durant une fraction de seconde, Lee Updike éprouva un plaisir fabuleux, inimaginable, qui fit place à une douleur cuisante, comme si son sexe était percé de millions de piqûres d'épingles. Il sursauta, cherchant instinctivement à se dégager.

Natalja pesa alors de tout son poids. Son visage de madone n'avait pas changé d'expression.

— Ne t'en vas pas, chéri ! murmura-t-elle.

Lee Updike donna un autre coup de rein, sabré par la douleur. De nouveau, cette sensation de faire l'amour avec un oursin... Il s'immobilisa, contracté, ne comprenant plus. Son cœur avait de plus en plus de mal à charrier son sang à grands coups de pompe. Il se dit qu'il allait se trouver mal. Les yeux noirs de Natalja le fixaient avec une expression indéchiffrable. Serrant les dents, il voulut continuer, mais son sexe n'obéissait plus. Une grande vague de chaleur partit de son estomac, envahissant le haut de son corps. Il lui sembla que son cœur se déréglait, qu'il allait exploser.

Avant de perdre conscience, il eut le temps de sentir les doigts de Natalja pincer ses carotides pour lui faire perdre plus vite connaissance.

Natalja demeura accroupie une interminable minute sur Lee Updike, l'observant. Elle souleva ensuite une de ses paupières, s'assurant qu'il était inconscient. Elle se releva alors d'un bond. Le jeune Américain n'avait même pas eu le temps de jouir.

Elle fila dans la salle de bains pour enlever le pessaire qu'elle avait placé dans son vagin avant de retrouver son éphémère amant. Petite invention des Services Techniques du KGB. Une de ses faces était hérissée de pointes microscopiques enduites d'un puissant somnifère à haute concentration. Le sexe gonflé de sang et très vascularisé d'un homme plein de désir le répandait à toute vitesse dans l'organisme.

En moins de trois minutes, il sombrait dans l'inconscience pour une bonne demi-heure...

Natalja passa un survêtement, enfila des bottes et alla prendre une housse en plastique aérée et de la cordelette. Elle ligota les chevilles et les poignets de Lee Updike avec tant de soin que même une tribu de rats affamés n'auraient pu les ronger. Ensuite, elle entreprit de faire entrer Lee Updike dans la housse. Pas évident. Elle dut batailler près de dix minutes, pour y arriver. Elle referma enfin la fermeture éclair et se redressa.

En sueur, elle enfila son manteau de fourrure, prit une torche électrique hyper-puissante à faisceau halogène et se dirigea vers la porte.

Elle revint sur ses pas, elle avait oublié le principal ! Sortant de son sac un petit émetteur radio, elle en déplia l'antenne et appuya sur le bouton. L'appareil émettait un bip continu donnant le « top » au sous-marin soviétique qui devait attendre à l'est de l'île de Runmarö.

Puis elle décrocha le téléphone et appela un numéro qui répondit presque aussitôt. Elle ne prononça que quelques mots avant de raccrocher.

Elle sortit alors, laissant la porte entrouverte.
Le froid la gifla. Sa torche à la main, elle se mit à courir vers la pointe de la jetée.

***

Malko et Olli Karhula eurent juste le temps de se rejeter en arrière pour que Natalja ne les aperçoive pas.

Le Finlandais trébucha avec un juron et demanda :

— Où va-t-elle ?

Natalja s'éloignait vers l'extrémité de la jetée. Là où la crique s'ouvrait sur la Baltique. Ils aperçurent distinctement le faisceau d'une torche puissante dirigé vers le large.

Ils scrutèrent l'obscurité de la mer. Rien. Natalja était en train de fixer la torche à un des poteaux de la jetée.

Malko bondit vers la porte d'entrée du bungalow.

— Allons-y.

Ils s'engouffrèrent dans la porte entrouverte, débouchant sur le living-room. Heureusement, les rideaux étaient toujours tirés, Natalja ne pouvait les voir d'où elle se trouvait. Malko se pencha sur la housse, ouvrit le zip, découvrant le visage calme de Lee Updike.

— Elle l'a drogué, dit-il.

Son cœur battait de joie. Il entrait dans la dernière phase. Il avait eu raison. Il n'y avait plus qu'à avertir Kevin Hudson.

Olli qui avait soulevé un coin de rideau, annonça d'une voix altérée :

— Elle revient !

Presque en même temps Natalja ouvrit la porte à la volée, fit trois pas et s'immobilisa. Ses yeux noirs semblèrent se rétrécir, les coins de sa bouche s'abaissèrent, elle fit un pas en arrière, comme pour s'enfuir. Aussitôt, Malko leva son pistolet extra-plat.

— Restez, Natalja.

Elle jeta un regard plein de mépris à Olli Karhula, puis une lueur de colère folle étincela dans ses yeux noirs.

— Vous pensez que vous allez me baiser avec ce gros poussah, cet imbécile, ce ver de terre ! lança-t-elle.

Olli Karhula pâlit. Malko se rapprocha d'elle.

— Natalja, dit-il. Vous avez perdu. Je sais qui vous êtes et ce qui se passe. Les Soviétiques que vous attendez ne vont pas être contents d'être accueillis à coups de feu. Bien sûr, le blâme en retombera sur vous...

— Idiot ! fit-elle. J'ai tout prévu.

Au moins, les masques étaient tombés.

— Vos amis kurdes ? fit Malko. On les a arrêtés à la pizzeria. Et Lee Updike, en se réveillant, saura enfin où sont ses vrais amis. Je crois que vous allez avoir des problèmes, Natalja. S'il n'y avait pas Juri, je vous aurais laissée partir avec vos amis soviétiques...

Il la voyait se décomposer à vue d'œil. Mais, de nouveau, la madone réapparut et elle arbora une expression suppliante.

— Je vous en prie, ne me faites pas de mal, j'ai été forcée à cause de ma mère.

— Cela n'excuse pas Juri, insista Malko.

— Et moi ! fit la voix d'Olli Karhula.

— Partons d'ici, fit soudain Natalja, partons ! Sinon, ils nous tueront tous.

Malko n'eut pas le temps de répondre. Il entendit des pas dans la neige et la porte encore entrouverte fut repoussée à l'intérieur. Un moustachu en pelisse s'encadra sur le seuil. Il tenait un pistolet-mitrailleur dans la saignée du bras, couvrant toute la pièce.

Malko eut l'impression de recevoir un bloc de

glace sur la tête. Que s'était-il passé ? Pourquoi la police suédoise ne les avait-elle pas arrêtés ? Natalja poussa un hurlement de joie sauvage. D'un bond, elle se réfugia dans un coin de la pièce et cria :

— Tue-les ! Tue-les vite, Kirvan !

Le Kurde leva son arme. Malko fut sur lui en une fraction de seconde. Il enfonça le canon de son pistolet extra-plat dans le cou du Kurde au moment même où celui-ci, l'extrémité de son pistolet-mitrailleur touchant la poitrine de Malko, appuyait sur la détente.

CHAPITRE XIX

La lourde culasse du PM Suomi claqua à vide avec un bruit sourd. Le Kurde fixa son arme d'un air stupide, croyant à une cartouche défectueuse ; d'un geste rapide, il réarma et appuya de nouveau sur la détente. La culasse partit en avant mais aucune détonation ne se fit entendre.

Malko avait joué à pile ou face. Il remercia mentalement Juri Maran. En enlevant le ressort du percuteur des armes trouvées dans la valise d'Adnan Candenir, le jeune Estonien venait de lui sauver la vie, à titre posthume...

Il appuya plus fort le canon de son pistolet sous le menton de l'intrus, lui intimant en anglais :

— *Don't move !*

Le Kurde se figea. Malko lui arracha son arme qu'il jeta à terre et le fouilla, trouvant deux grenades dans ses poches. Il les tendit à Olli Karhula qui les mit dans les siennes. Puis, il referma la porte, à clef cette fois. Natalja l'observait, son visage déformé par la haine.

— Les autres vont venir le chercher ! lança-t-elle. Ils vous tueront.

Malko s'approcha du téléphone.

— Nous pouvons tenir une demi-heure, dit-il simplement, et d'ici là, toute la police de Stockholm aura rappliqué.

Le plan original tombait à l'eau. Maintenant, il se retrouvait coincé entre les Kurdes et le commando soviétique appelé par Natalja. Sur le ponton, la lampe clignotait toujours.

Malko composa le numéro de Kevin Hudson qui décrocha aussitôt.

— Vous avez prévenu la police ? demanda-t-il. Les Kurdes sont ici !

— Les cons ! explosa l'Américain. Ils m'ont appelé, les Kurdes étaient partis de la pizzeria. Alors, par flemme, au lieu de les chercher dans l'archipel, ils ont établi des barrages à Gustavsberg et à Vaxholm ! Je les rappelle tout de suite et je leur dis où vous êtes.

Malko allait répondre quand une idée lui traversa l'esprit. C'était tellement bête d'être arrivé jusque-là pour échouer.

— Attendez un moment, dit-il, voilà mon numéro. Si je ne vous ai pas rappelé dans dix minutes, envoyez la cavalerie.

Il lui expliqua où ils se trouvaient avant de raccrocher. Natalja l'observait, intriguée.

— J'ai un *deal* à vous proposer, lui dit Malko. Si je rappelle, vos Kurdes seront tués ou arrêtés et le sous-marin soviétique que vous attendez risque d'être repéré et intercepté par les patrouilleurs suédois... Quant à vous, avec dix ans dans une confortable prison suédoise, vous vous en tirerez bien...

— Qu'est-ce que vous voulez ? coupa-t-elle.

— Votre collaboration. Combien y a-t-il de Kurdes en plus de celui-là ?

— Quatre.

— Pourquoi ne sont-ils pas venus ?

— Leur mission est de surveiller les voies d'accès. Qu'est-ce que vous attendez de moi ?

— D'abord, vous allez rassurer vos amis kurdes, en leur demandant de ne pas rester trop près de la maison. Je suppose qu'ils ne sont pas loin... Ils sont vos « baby-sitters », n'est-ce pas ?

Elle inclina la tête affirmativement.

— Et ensuite, qu'est-ce qui est prévu ?

— Ils doivent embarquer sur le sous-marin.

— Bien. Vous revenez ici et nous attendons vos amis de la marine soviétique. Où sont-ils ?

— A une vingtaine de miles, dit-elle. Ils doivent me rejoindre une heure après le début des signaux.

Cela faisait déjà un bon quart d'heure.

— Pourquoi ne sont-ils pas venus dès que vous êtes arrivée ?

— Il y a des patrouilles navales jusqu'à six heures du soir.

— Eh bien, dit Malko, nous restons ici et vous leur remettez le colis qu'ils attendent. Celui qui est ici va prendre la place de Lee Updike.

— Mais ses amis vont se rendre compte de son absence.

— Vous allez les avertir de ne pas bouger tant que vous ne les appellerez pas.

— Et s'ils se méfient ?

— Essayez. Si cela tourne mal, j'appelle la police suédoise. Nous pouvons tenir quelque temps.

— Ils ont des grenades.

— Nous aussi.

Olli Karhula observait la scène, muet comme une carpe.

Natalja Kippar réfléchit quelques instants et demanda :

— Et ensuite ?

— Nous repartons tous à Stockholm. De là, vous faites ce que vous voulez.

Cette fois, elle n'hésita pas.

— Très bien, j'accepte, dit-elle de sa voix redevenue douce.

— Alors, allez-y. Mais avant, neutralisez ce Kurde, ce sera plus facile. Vous avez ce qu'il faut ?

— Oui.

Elle fila dans la salle de bains et revint avec le pessaire dans le creux de la main. Elle s'approcha du Kurde toujours menacé par Malko.

— Ouvre la bouche !

Stupéfait et terrifié, il obéit.

— Tire la langue !

Il sortit une grosse langue rouge avec une bonne volonté touchante.

Aussitôt Natalja abattit le pessaire dessus ! Le Kurde se débattit instinctivement, voulut refermer les mâchoires, eut un hoquet.

— Ne ferme pas la bouche ou je te tue ! cria Natalja.

Elle réussit à maintenir le pessaire en place près d'une minute tandis que le Kurde gargouillait, les yeux hors de la tête. Enfin, ses gestes se calmèrent, ses yeux devinrent vitreux et il s'effondra d'un coup.

— Allez voir vos amis kurdes maintenant, dit Malko. Et si vous avez de mauvaises pensées, souvenez-vous que l'archipel est bouclé par la police suédoise.

Il la regarda disparaître vers le haut du sentier, se pencha vers la housse contenant Lee Updike et l'ouvrit.

— Aidez-moi, demanda-t-il à Olli Karhula, nous n'avons pas beaucoup de temps.

***

Depuis cinq minutes, déjà, le Kurde drogué se trouvait dans la housse, ligoté et bâillonné et Malko veillait sur Lee Updike en train de reprendre conscience dans la chambre.

Olli, une grenade dans chaque poche, surveillait la jetée où la lampe hallogène clignotait toujours face à la Baltique.

Une silhouette apparut dans le sentier, Natalja.

Elle était seule. Malko lui ouvrit la porte et elle s'engouffra à l'intérieur.

— Ça a marché ?

— Oui.

Elle ôta son manteau et machinalement frotta ses mains l'une contre l'autre.

— Qu'avez-vous convenu ?

— Ils attendent dans le bois un peu plus haut. Dès que je leur fais un signal avec la lampe, ils viennent. Je leur ai dit que Kirvan, celui qui se trouve ici, partirait avec la première fournée...

Malko exultait. Il avait retourné la situation. Les Soviétiques allaient être fous furieux... Natalja ne ferait pas de vieux os. Considérée automatiquement comme traître, elle serait liquidée tôt ou tard. Quelque chose l'intriguait cependant.

— Comment un navire soviétique prend-il le risque de venir si près ? demanda-t-il.

— D'abord, il s'agit d'un sous-marin de petit tonnage, fit-elle. Et la marine soviétique possède les codes suédois.

Olli Karhula qui veillait sur Lee Updike passa la tête à la porte de la chambre.

— Je crois qu'il se réveille !

— Amenez-le, dit Malko. Natalja, vous allez lui dire la vérité.

Quelques instants plus tard, le gros Finlandais entra, soutenant Lee Updike enroulé dans un drap. Les yeux bleus de l'Américain semblaient tout délavés. Il fallut plusieurs minutes pour que son regard reprenne une expression normale. Il bascula en reconnaissant Malko.

— Que... Que faites-vous là ? balbutia-t-il. Natalja. Que s'est-il passé ?

— Elle va vous dire ce qui est arrivé, dit froidement Malko. Olli, pour plus de sûreté, pouvez-vous veiller à ce que les Kurdes ne nous tombent pas dessus à l'improviste ?

Olli Karhula sortit du bungalow et disparut dans l'obscurité.

— J'ai voulu t'enlever pour le compte des Soviétiques, annonça l'Estonienne d'une voix égale. Je t'ai drogué. Un sous-marin soviétique devait venir te chercher.

Le regard de Lee Updike chavira.

— Ce n'est... Je ne te crois pas... Ils t'ont menacée... Tu mens.

— Natalja dit la vérité, dit Malko. D'ailleurs, dans très peu de temps, vous pourrez voir les Soviétiques débarquer.

— Vous mentez ! C'est une mise en scène ! Ce sont des Américains. Vous mentez ! répéta-t-il d'une voix hystérique. Il faut appeler la police.

— Il ne ment pas, dit Natalja froidement.

Lee Updike se prit la tête à deux mains.

— Appelez la police ! gémit-il. Appelez la police. Tout cela n'est pas vrai, je ne comprends pas... Qu'y a-t-il dans cette housse ?

Malko ouvrit le zip, découvrant le visage du Kurde.

— Un des complices de Natalja. Qui va partir à votre place.

— Attention ! lança soudain Natalja. Je crois que les voilà.

Malko tourna son regard vers la baie vitrée. Ecarquillant les yeux, il aperçut dans la crique une forme sombre qui se préparait à aborder. Un Zodiac !

— Mr Updike, dit-il. Voilà les Russes. Si vous promettez de ne rien faire, vous allez assister à votre enlèvement. Sinon, je suis obligé de vous neutraliser. Répondez, vite.

— Je promets, je promets, bredouilla Lee Updike, dépassé.

Malko lui jeta un regard sévère.

— La moindre gaffe aurait des conséquences

catastrophiques, souligna-t-il, et pourrait nous coûter la vie à tous.

— Je m'en doute, grommela Lee Updike de mauvaise grâce.

— Alors, mettez cette veste et prenez cette arme. Vous passerez pour un garde du corps...

— Ils arrivent ! avertit Natalja d'une voix pressante.

Quatre hommes montaient vers la maison en courant. Le Zodiac était échoué sur le sable et deux autres étaient restés près de l'embarcation.

— Allez les accueillir ! lança Malko à Natalja. Je vous surveille. A la moindre incartade, vous prenez une balle dans la tête. Et rappelez-vous que je comprends le russe.

Il fila dans la chambre, laissant la porte entrebâillée.

Son cœur battait quand même très fort lorsque le premier Soviétique pénétra dans la pièce. Massif, engoncé dans une combinaison d'homme grenouille, un pistolet à la ceinture, un visage carré, des yeux clairs. Son regard balaya la pièce. Derrière la porte de la chambre, Malko ne pouvait le voir entièrement. Il entendit sa voix, parlant russe.

— *Etot paket, tovaritch ?*

— *Da.*

— *A on ?*

— *Odin iz teh kto mnié* (1).

Les trois autres l'avaient rejoint. De robustes marins sans état d'âme.

— *Vosmitié s'soboï* (2), ordonna le chef.

— *Bez problemi* (3) ? demanda Natalja.

(1) C'est le paquet, camarade ?
— Oui.
— Et lui ?
— Un de ceux qui m'ont aidée.
(2) — Emmenez cela.
(3) — Pas de problème ?

— *Nikakoï, tovaritch. Gdé vsé drougië Kotorih ja dolgen vsiat s'soboï* (1) ?

Il semblait nerveux et pressé de partir.

— *Opozdali* (2).

Le Soviétique consulta son gros chrono fixé au bracelet de caoutchouc noir.

— *Mnié ne prikasano ih gedat, tovaritch. Ja dolgene idti tcherez diate minoute* (3).

— *Choposho ! Jdi, tovaritch. Nielzja riscovate is sa nih* (4).

— *Do svidania.*

— *Do svidania ! Spaciba* (5).

Il sortit de sa démarche lourde. Malko attendit qu'il soit loin sur le sentier pour émerger de sa cachette. Lee Updike était blanc comme un linge. Il posa le Suomi et s'effondra dans un fauteuil. Ses yeux bleus étaient pleins de larmes. Natalja ignora son regard lourd de reproche, observant le départ des Soviétiques, les traits défaits.

Ceux-ci avaient déjà presque atteint le Zodiac. Les deux premiers chargèrent la housse contenant le Kurde et rembarquèrent. Trente secondes plus tard, les derniers en faisaient autant.

Malko, qui avait reporté son attention sur le sentier, rompit le silence.

— Natalja voilà vos amis kurdes !

Quatre hommes couraient en direction de la crique. Le Zodiac avait déjà démarré. Il accéléra, sortant de la passe et disparut très vite.

(1) — Aucun, camarade. Où sont les autres que je dois emmener ?

(2) — En retard.

(3) — Je n'ai pas d'ordres pour les attendre, camarade. Je dois repartir immédiatement.

(4) — Bien. Va, camarade. Il ne faut pas mettre la mission en péril.

(5) — Au revoir.

— Au revoir et merci.

Les Kurdes atteignirent le sable, faisant des signaux désespérés et furieux.

— Que s'est-il passé ? demanda Malko. Ils devaient attendre.

— Je ne sais pas, murmura Natalja. Ils ont dû avoir peur.

Les Kurdes se retournèrent et se mirent à courir vers la maison. Tous avaient des armes à la main, et ne semblaient pas de bonne humeur. Malko sauta sur le téléphone. Ce serait trop bête s'ils se faisaient tuer maintenant.

Des coups redoublés furent frappés à la porte au moment même où Malko obtenait Kevin Hudson.

— Les Soviétiques sont venus et repartis, annonça Malko, Lee est avec nous, mais les Kurdes sont à la porte. Faites vite !

— J'alerte les Suédois dans la seconde, fit l'Américain. Et j'arrive aussi.

On entendit des appels de plus en plus menaçants, en suédois, en russe et en kurde, de l'autre côté de la porte. Puis des pas derrière le bungalow et du bruit vers la porte de la cuisine. Les Kurdes d'Adnan Candenir avaient cerné le bungalow et se préparaient à l'investir.

Natalja était encore plus blanche que d'habitude et Lee Updike carrément livide.

Les coups dans la porte redoublaient. Une voix hurla :

— Kirvan ? Ouvre !

Il y avait peu de chances que Kirvan réponde...

— N'ayez pas peur, dit Malko, à voix basse. La police va arriver.

Les Kurdes ne devaient rien comprendre à la situation.

On entendit une discussion de l'autre côté de la porte, puis un fracas de verre brisé les fit se retourner. Une pierre venait de faire voler en éclats la baie vitrée du living-room. Une rafale claqua sur l'arrière de la maison. Ils faisaient sauter la serrure.

Un des Kurdes surgit en face de la fenêtre éventrée, brandissant une grenade. Depuis sa visite chez Adnan Candenir, Malko savait qu'il s'agissait de grenades au phosphore.

Les Kurdes allaient les faire griller vifs.

CHAPITRE XX

Natalja Kippar poussa un hurlement perçant. A coups de pied, un des Kurdes était en train de défoncer la porte. Malko tira à travers le battant et aussitôt, plusieurs coups de feu firent voler des éclats de bois.

Malko aperçut soudain à travers la baie vitrée une silhouette surgir du sous-bois. Olli Karhula. Le Zodiac soviétique avait disparu depuis longtemps dans le noir de la Baltique. Le gros Finlandais s'approchait des Kurdes par-derrière. Il sortit la main droite de sa poche, serrant une grenade entre ses doigts. Avec le calme d'un vieux soldat, il la dégoupilla et la jeta comme une boule de pétanque... Les deux Kurdes devant la porte la regardèrent rouler à leurs pieds, sidérés. Adnan Candenir poussa un hurlement sauvage en voyant l'engin atterrir dans la neige devant lui... Il demeura trois ou quatre secondes tétanisé, puis il y eut un « plouf » sourd et une flamme blanche enveloppa les deux Kurdes, les transformant instantanément en torches humaines.

Le phosphore.

— *My God!* gémit Lee Updike.

Les deux Kurdes se roulaient par terre, essayant en vain d'éteindre les flammes qui leur collaient à la peau... Adnan Candenir, hurlant comme un possédé, les cheveux enflammés, courut jusqu'à la crique et s'y jeta. Il continua à brûler dans la mer comme un sinistre feu de Bengale. Au contact de l'eau, le phosphore carburait encore plus...

Son compagnon n'était déjà plus qu'une forme noirâtre où sautillaient toujours quelques flammèches...

La tête d'Adnan Candenir disparut sous l'eau mais les flammes du phosphore continuèrent à le consumer. Les bras le long du corps, Olli Karhula contemplait le spectacle, comme étranger. Malko se retourna, entendant un fracas de bois brisé sur l'arrière de la maison. Les deux autres Kurdes !

L'un d'eux jaillit, les yeux fous, brandissant un gros « 357 Magnum ». Le bras de Malko se détendit, le pistolet extra-plat claqua et un trou rouge apparut en plein front du Kurde qui trébucha et s'étala sur le parquet. Ses doigts crispés serraient encore la crosse de son arme, mais il était déjà mort.

Le second fit aussitôt demi-tour et partit en courant, contournant la maison.

Olli Karhula n'avait pas bougé.

Du même geste calme, il balança sa seconde grenade dans les jambes du fugitif. Quand la lueur blanche l'enveloppa, Lee Updike détourna la tête et vomit. Pendant quelques secondes on entendit des cris horribles puis le silence retomba. Minéral. Irréel. Apportée par le vent une abominable odeur de chair brûlée pénétra dans le bungalow... Natalja était blanche comme un linge, Malko au bord de la nausée et Lee Updike transformé en statue. Seul, Olli Karhula semblait avoir gardé son sang-froid. Il regagna la maison de son même pas calme, contournant avec soin les cadavres carbonisés.

— C'étaient des salauds ! dit-il. Je suis bien content.

Natalja lui jeta un regard abasourdi. Décidément, on ne pouvait se fier à personne...

Lee Updike se mit à pleurer, les épaules secouées de sanglots. En pleine crise de nerfs. Répétant sans arrêt : « C'est horrible, horrible, horrible... »

— Venez, dit Malko.

L'Américain résista, se mit à crier d'une voix hystérique :

— Non, non, je veux rester là, vous êtes tous des salauds, des assassins. J'en ai assez, je veux mourir.

Il avait des yeux de fou et une force herculéenne. Malko se disait qu'il allait être obligé de l'assommer quand Natalja se pencha à son oreille et se mit à lui parler doucement. Malko s'attendait à ce qu'il lui saute à la gorge, mais peu à peu, il se calma et elle réussit même à le faire lever.

— Nous pouvons y aller ! dit-elle.

Ils remontèrent le sentier, laissant la maison allumée et les cadavres. Sur la jetée, la lampe hallogène clignotait toujours...

Personne ne dit un mot jusqu'à la voiture. Malko essayait d'imaginer l'avenir. Il avait évité la catastrophe, mais le problème demeurait entier. Après Natalja, il en viendrait d'autres... La CIA ne pouvait pas veiller éternellement sur Lee Updike...

Les phares de la Volvo éclairaient des routes désertes. A chaque virage il s'attendait à voir une voiture de police, mais ils parvinrent sans encombre à Gustavsberg. La route était barrée par des chevaux de frise et plusieurs voitures de police. Malko aperçut la Chrysler noire du chef de station de la CIA. Il descendit, imité aussitôt par Natalja qui le rattrapa.

— Je veux vous parler.

— Qu'est-ce que vous voulez ?

— Je ne peux pas rester en Suède, dit-elle d'une voix altérée, ils vont me tuer. Je n'avais pas prévu tout cela, je vous le jure. Cela devait être une opération sans bavures, sans mort, sans violence...

Malko la toisa froidement.

— Juste un petit kidnapping pour emmener Lee Updike à tout jamais en Union Soviétique. Et moi ? Vous n'étiez pour rien dans ce qui m'est arrivé ?

Natalja se troubla un peu.

— Je vous ai seulement emmené au marché pour qu'on vous identifie... Mais je sais beaucoup de choses. Je veux que vous me protégiez.

C'était un comble...

— Cela n'est pas de mon ressort, dit Malko. Retournez dans la voiture. Je transmettrai à Mr Hudson.

L'Américain lui serra les phalanges à les lui broyer.

— Je ne sais pas comment vous remercier ! dit-il. Vous avez fait un boulot magnifique. J'ai signalé aux Suédois la présence d'un sous-marin soviétique dans leurs eaux et, en ce moment, ils sont en train de le chercher...

— Bien, dit Malko, mais nous revenons au point de départ.

— Pas tout à fait. Lee Updike doit avoir compris. Et les Suédois ont eu les yeux ouverts. Nous sommes tranquilles pour quelques semaines. Dans deux mois, je m'en vais. A Langley. Mon successeur s'en occupera. Et nous avons toujours la solution dont je vous ai parlé...

La liquidation physique de Lee Updike.

— Pour l'instant, dit Malko, je le ramène à Stockholm. Je vais l'installer au *Grand Hôtel*. Natalja Kippar désirerait collaborer...

— Quelle aille se faire foutre ! grinça l'Américain. Jamais plus je ne veux entendre parler de cette salope. Je vais m'arranger pour que les Suédois l'expulsent. Ses copains s'occuperont d'elle... Venez, je vais vous ouvrir la route.

— Nous avons laissé quatre cadavres là-bas, remarqua Malko.

— Ne vous en faites pas, trancha l'Américain. Sur ce coup, les Suédois vont se faire tout petits...

Il remonta dans la Chrysler noire et les deux voitures s'engagèrent sur la route déserte. Malko regarda sa montre. Tout juste neuf heures. Il avait l'impression de s'être enfoncé dans l'archipel des siècles plus tôt... Il avait encore dans les narines l'odeur de la chair brûlée et dans les yeux les torches blanches, la graisse qui coulait. L'horreur.

Juri Maran était vengé. Atrocement.

La Volvo s'arrêta en face du *Grand Hôtel* et Malko se retourna vers Lee Updike.

— Je vais vous prendre une chambre ici.

L'Américain avait regagné un peu d'assurance.

— Non, dit-il.

— Où voulez-vous aller ?

— Je reste avec elle.

Malko aperçut sa main entrelacée avec celle de Natalja. La madone avait bien joué.

— Cela ne vous suffit pas ? demanda Malko, exaspéré. Vous voulez qu'elle recommence ?

Lee Updike lui expédia un regard meurtrier.

— Vous êtes tous pareils... Vous aussi, vous voulez m'enlever... Vous n'êtes pas mieux. Je l'aime.

Il valait mieux entendre cela que d'être sourd... Ivre de rage, Malko proposa :

— Alors, venez *tous les deux.* On ne va pas rester ici toute la nuit !

Lee Updike interrogea du regard Natalja qui le tira hors de la voiture. La main dans la main, ils franchirent l'escalier du *Grand Hôtel.* Malko fulminait intérieurement... Olli Karhula lui dit de sa voix placide :

— Vous voyez, Mr Linge, elle est très forte. Moi, je vais me coucher. J'espère que je n'aurai pas d'ennuis avec la police.

Comme s'il s'agissait d'une contravention...

— N'ayez crainte ! dit Malko.

Ils se serrèrent la main. Lui n'en pouvait plus.

Olli s'éloigna sans un regard pour Natalja.

Ils montèrent tous les trois. Dès qu'il fut dans sa chambre, il appela Kevin Hudson et lui demanda une protection de la police suédoise pour Lee Updike.

Un soleil radieux n'arrivait pas à rendre mangeable le saumon fumé à la sauce tomate du restaurant français... Drôle de breakfast. Lee Updike avait dû passer la nuit à rendre hommage à Natalja car il avait les yeux au milieu de la figure. La jeune Estonienne arborait toujours son air de madone.

Dès l'aube, Malko avait longuement parlé avec Kevin Hudson. Il attendit que Lee Updike eut terminé son saumon pour annoncer :

— Mr Updike, je suppose que vous êtes convaincu maintenant que les Soviétiques sont prêts à tout pour vous enlever.

— Oui, admit de mauvaise grâce l'Américain.

— Vous comprenez également qu'il nous est impossible de vous protéger éternellement et que les Suédois n'en sont pas capables.

Lee Updike approuva de la tête.

— Il vous est peut-être aussi venu à l'esprit que des gens chez nous pourraient avoir envie de résoudre votre problème définitivement...

Le regard bleu se troubla.

— Je sais, souffla-t-il.

— Dans ce cas, dit Malko, il ne vous reste qu'une solution pour trouver la paix. Revenir aux USA.

— Pour aller en prison !

— Non, dit Malko, je suis autorisé à vous offrir l'impunité. Vous n'aurez même pas à reprendre vos travaux. Simplement ne dire à personne où vous vous trouvez.

Lee Updike sauçait sa sauce tomate. Il but ensuite un peu de café et dit :

— J'accepte. Mais j'emmène Natalja.

Malko s'y attendait... Natalja Kippar baissait modestement les yeux.

— Vous êtes fou ! dit-il. On ne la laissera pas entrer.

— Alors, allez vous faire foutre, dit Lee Updike. Je reste.

Malko se leva pour téléphoner. Ce n'était plus de son ressort...

Kevin Hudson hurla dans le téléphone, injuria Dieu, les communistes et Natalja en des termes abominables... Calmé, il lança ensuite d'une voix lasse :

— Dites à cette horrible salope qu'elle est la bienvenue dans notre beau pays. Qu'elle crève...

Quand il revint à la table, Natalja avait la tête sur l'épaule de Lee Updike. Deux tourtereaux...

— Vous allez pouvoir vous aimer tranquillement, fit Malko.

En pénétrant au restaurant *Alexandra*, Malko savait déjà ce qu'il allait trouver, mais ne s'attendait pas à voir Ingrid Stor aussi belle. Ses courts cheveux disparaissaient sous une toque d'astrakan, un chemisier de soie grège épaisse laissait jouer librement ses seins admirables. La jupe de velours noir moulait la croupe callipyge de façon presque indécente, et elle portait des bas à couture et des escarpins qui la mettaient à cent quatre-vingt-dix centimètres du sol...

— Ingrid, vous êtes sublime! dit Malko en lui baisant la main.

Elle n'avait pas eu le temps de se faire pousser les ongles. Mais son sourire aurait fait fondre la banquise.

— Vous partez, je voulais vous laisser un bon souvenir...

Elle l'avait appelé à l'hôtel. Malko avait accepté de dîner avec elle. Se demandant si le KGB voulait se venger de lui ou tenter une ultime manœuvre. Trois policiers de la Säpo veillaient discrètement sur lui. Ils se partagèrent une boîte de caviar et une bouteille de Dom Pérignon. Ingrid proposa ensuite :

— Vous venez chez moi, ou je viens chez vous?

— Je préfère chez moi, dit Malko.

— Avec plaisir.

Ses yeux bleus avaient une expression d'une intensité incroyable. A peine furent-ils dans sa suite que Malko l'avertit gentiment :

— Ingrid, si vous aviez de mauvaises idées, il y a trois policiers suédois dans le hall...

Elle eut un rire de gorge :

— Idiot!

Elle prit son sac et le retourna. Il en tomba une sorte de serpent noir : une cravache. Leurs regards se croisèrent.

— J'ai envie de m'amuser ce soir, dit Ingrid de sa voix rauque. Comme l'autre jour.

Lorsque la cravache cingla le velours noir de sa jupe, elle se cambra avec un petit cri. Puis aussitôt, se retourna pour dire :

— Plus fort.

Elle prit son chemisier et tira dessus à deux mains, le déchirant, découvrant ses seins, les offrant à la cravache, extasiée. Puis, elle défit sa jupe, la faisant glisser le long de ses jambes. Superbes avec les bas noirs et les épais porte-jarretelles... Elle et Malko ne s'étaient même pas encore touchés.

Malko la poussa sur le lit. Docilement, elle s'y appuya, lui tournant le dos ! Négligeant volontairement son sexe, il trouva l'ouverture de ses reins, et s'y enfonça de tout son poids. Ingrid, qui ne s'attendait probablement pas à ce traitement, poussa un rugissement :

— Arrêtez ! Arrêtez !

Il ne l'écouta pas et quelques instants plus tard, s'engouffra jusqu'à la garde dans ses reins. Il avait envie de la prendre à la faire éclater. Ingrid poussa un cri d'accouchée qui se termina en un grognement saccadé. Les mains crochées dans ses hanches, Malko se mit à labourer ses reins de toutes ses forces.

Pour oublier Juri.

Pour oublier les Kurdes.

Pour oublier la mort.

Jusqu'à ce qu'une explosion de plaisir balaie tous ses fantômes.

***

Ingrid Stor avait fumé deux cigarettes, allongée sur le dos, tirant parfois machinalement sur ses bas. Malko se remettait de cet accouplement bestial et merveilleux. Lorsqu'elle tourna la tête vers lui, ses yeux étaient si bleus et si intenses qu'ils en paraissaient phosphorescents.

— Demain soir, dit-elle, il y a un cargo danois qui quitte Göteborg. Le *Pia Vista*... Le capitaine s'appelle Hansen, Sven Hansen. Si tu lui amènes Lee Updike, demain matin, une somme de cinq millions de dollars sera viré au compte que tu vas m'indiquer...

— Vous êtes prêts à me donner l'argent avant ? demanda Malko.

Une lueur ravie fulgura dans les yeux bleus.

— J'étais sûre que tu étais plus intelligent que ta réputation. Bravo !

— Et si je ne le livre pas ?

Son sourire s'accentua.

— Ne sois pas stupide. Tu n'en profiteras pas longtemps. Donne-moi le numéro de ton compte.

— Tu n'en as pas besoin, dit Malko. Mais j'ai passé une excellente soirée.

Ils se toisèrent longuement du regard. Puis, Ingrid se leva, se rhabilla en un clin d'œil et partit en claquant la porte. Laissant la cravache par terre. Malko se dit que pour une fois, le KGB lui avait fait un beau cadeau.

Le colonel Viktor Indusk ferma son attaché-case, fit un sourire à Mariana, sa secrétaire et lança :

— Je te rapporterai un peu d'air de Moscou !

La convocation était parvenue une heure plus tôt. Juste à temps pour qu'il puisse attraper le vol de l'Aeroflot pour Moscou. Il allait arriver avant les énormes caisses contenant les meubles de Claude Dalle destiné à embellir encore le somptueux appartement de la Prospeck Lenine du général Sakharov. Viktor Indusk claqua la lourde porte de la Rezidentura et prit l'ascenseur. Il neigeait un peu et une Volga noire attendait dans la cour de l'ambassade, un chauffeur au volant et un garde du corps debout près de la portière ouverte.

Deux hommes de la ligne KR.

Le colonel du KGB leur adressa un sourire amical, jetant son attaché-case dans la voiture.

— Je vais conduire, Pavel, parce que je n'ai pas confiance en toi sur le verglas...

Le chauffeur s'extirpa de la voiture, avec un

sourire vaguement servile. L'énorme poing du colonel Indusk le cueillit alors qu'il était déséquilibré, lui brisant net la mâchoire. Il tomba en arrière avec un hurlement. Le garde du corps avait déjà la main sur la crosse de son Tokarev. Il ne termina jamais son geste. La lourde chaussure du colonel venait de lui faire exploser un testicule et le péritoine.

Viktor Indusk bondit au volant. La Volga dérapa, fila vers la grille en crabe et se retrouva en face de l'*Expressen*. Pied au plancher, il fonça dans Norr Mälar Strand. Il lui fallait traverser toute la ville. Après s'être faufilé dans le centre, il enfila à toute allure Strandvägen... Il allait si vite en entrant dans la cour de l'ambassade américaine que le soldat suédois de garde fit glisser son fusil d'assaut de son épaule, croyant à une attaque terroriste. Il se retint à temps devant les plaques diplomatiques... Le colonel Viktor Indusk se dirigea à grandes enjambées vers le Marine qui gardait la porte.

— Je désire parler à Mr Kevin Hudson, dit-il.

— Vous avez rendez-vous, Sir ?

— Dites-lui que le colonel Viktor Indusk, de l'ambassade soviétique, vient demander l'asile politique aux Etats-Unis d'Amérique ! lança l'officier d'une voix de stentor.

L'interminable convoi s'allongeait sur la route sinistre bordée de sapins qui menait à l'aéroport d'Arlanda. Six voitures bourrées de gardes du corps, trois devant et trois derrière, entouraient la Cadillac blindée empruntée à l'ambassadeur où se trouvaient Malko, Lee Updike, Natalja Kippar et le colonel Viktor Indusk.

Un hélicoptère de l'armée suédoise ronronnait au-dessus de leur tête.

Depuis l'aube, l'aéroport était en état de siège. La

police avait fouillé tous les endroits susceptibles de recéler une bombe. Une partie de l'aérogare était neutralisée. Sur le tarmac stationnait un Learjet 55 loué par la CIA.

Ils sortirent entre deux haies de gorilles américains et suédois, gagnèrent presque en courant le tarmac. Kevin Hudson les y attendait. Il n'y eut ni embrassade, ni poignée de main, ni sourire. Lee Updike, Natalja et le colonel Indusk s'engouffrèrent dans l'avion et les portes furent aussitôt refermées. Par mesure de précautions, trois F16 allaient l'escorter très loin au-dessus de l'Atlantique.

Malko regarda l'appareil s'éloigner sur la piste. Se disant que Lee Updike risquait d'être veuf très vite.

Le KGB avait positivement horreur des traîtres.

Gérard de Villiers

PRESENTE

L'AVENTURIER

Je fais main basse sur les diams' des Papous

PHILIP WHALE

L'AVENTURIER

Jack Malan arnaque les truands et les milliardaires.
Il leur prend leur argent et leurs femmes.

Le tonnerre des tambours de guerre était tout proche. L'Aventurier fit coucher tout son monde le long de la palissade. Les premiers guerriers Kukukukus apparurent aussitôt à la lisière de la clairière, brandissant leurs haches de pierre. Le visage peinturluré, le nez transpercé, ils poussaient des hurlements stridents. Les quatre porteurs tremblaient, gris de terreur. Mais Malan annonça tranquillement :
— Ils vont grimper dans l'arbre et nous arroser de flèches. Les grosses branches les protégeront de nos balles.
— Mais alors, murmura Bob Lester, nous sommes foutus !

JE FAIS MAIN BASSE SUR LES DIAMS' DES PAPOUS

PHILIP WHALE

L'AVENTURIER

JE FAIS MAIN BASSE SUR LES DIAMS' DES PAPOUS

PLON

ISBN : 2-259-01630-8

CHAPITRE PREMIER

Peu avant le coucher du soleil, les grands tambours de guerre s'étaient déchaînés. Leur grondement roulait, menaçant, au-dessus de la forêt.

Une troupe d'hommes gesticulants et armés de lances sortit en hurlant d'une grande case bâtie sur pilotis, à la façade ornée de crânes humains. Leurs corps étaient peints des pieds à la tête. Des bandes rouges sur le visage. Des taches blanches sur le torse et les cuisses.

Tous avaient dans le nez une défense de porc sauvage et autour du cou un collier de vertèbres humaines.

C'était l'habituelle tenue de cérémonie des guerriers kukukukus, la plus féroce des sept cents tribus primitives de Nouvelle-Guinée.

Sur leurs têtes, oscillaient d'immenses plumes rouges d'oiseaux de paradis. Ils plantaient agressivement leurs lances dans le sol en poussant des cris farouches.

Le chef sortit le dernier de la grande case, la Maison des Hommes, où tous avaient passé la journée loin des femmes afin de ne pas perdre leur force magique. Il se distinguait des autres guerriers par la hauteur de sa coiffure de plumes. Une moitié de son corps était peinte en jaune. L'autre en noir. Il portait dans le nez un os de casoar effilé et sculpté.

Le chef prit la tête de la troupe et se dirigea vers la

forêt au son d'un orchestre de tambours de bois et de flûtes en bambou.

Derrière la petite troupe, encadré de deux guerriers, marchait un jeune homme nu aux cheveux crépus. Son corps était entièrement peint en blanc. Ses mains étaient liées dans son dos.

Un vol de perroquets blancs, effrayé par le vacarme des tambours, s'éleva de la forêt en piaillant. Les guerriers poussèrent des acclamations. Le perroquet blanc était le fétiche du village. Leurs prières allaient être exaucées ! Au bout de deux heures de marche, ils se rangèrent au pied d'une falaise qui barrait la forêt.

Deux êtres étranges sortirent du fourré. Si l'on n'avait pas entrevu leurs jambes on aurait pu les prendre pour des fantômes. Ils disparaissaient sous un énorme cône d'herbes liées par le sommet, qui se prolongeait par une jupe de feuilles. Ils tournoyaient et faisaient des bonds terrifiants. C'étaient les danseurs de la secte secrète des Inuts.

Le chef s'avança, seul, au pied de la falaise, tandis que ses hommes se rangeaient à distance.

Le chef se baissa et commença à fouiller dans la boue.

Les tambours et les flûtes s'étaient tus.

Le chef remuait toujours la vase de ses deux mains.

Il se releva brusquement avec un cri de triomphe.

Il tenait dans sa main un caillou brillant.

Une acclamation assourdissante jaillit des rangs des guerriers. Flûtes et tambours rugirent. Les danseurs en jupe de paille coururent de tous côtés en bondissant joyeusement.

Le chef leva la main pour imposer silence. Il allait parler.

— Voilà la pierre magique ! s'écria-t-il. Celle qui a attiré ici l'homme blanc. Il est venu et nous avons beaucoup mangé.

Il se recueillit un instant, en tenant sur son cœur la « pierre magique », — en fait, un énorme diamant brut.

— Toute la nuit les esprits me sont apparus et m'ont ordonné de faire un grand *puri-puri* (1) ici dans la montagne. Ils m'ont promis de nous envoyer encore des hommes blancs avec de nombreux porteurs bons à manger.

Le sorcier, un affreux nabot à la tête grimaçante couronnée de plumes noires, sortit des rangs des guerriers. On l'écouta avec respect car il avait rencontré dans sa jeunesse un missionnaire catholique égaré dans la forêt, l'avait tué et avait mangé sa cervelle. Il connaissait donc tous les secrets des Blancs.

— Les hommes blancs, dit-il d'une voix sentencieuse, reviennent toujours là où il y a les cailloux transparents. Il suffit d'attendre et de faire des sacrifices aux esprits. L'homme blanc est venu ici dans les collines il y a quatre ans ; d'autres hommes blancs reviendront tôt ou tard avec de nombreux esclaves bons à manger.

Les guerriers accueillirent ces promesses avec des cris d'enthousiasme.

Chaque année, depuis quatre ans, la même cérémonie se déroulait près du mont Giluwe qui dominait la forêt et la rivière Purari de ses 4 200 mètres.

Les Kukukukus ne désespéraient pas. Les esprits le leur avaient promis et le sorcier le leur avait confirmé : l'homme blanc reviendrait pour chercher les pierres magiques et comme la première fois, les ventres seraient pleins pendant des jours et des jours.

On poussa en avant vers le chef le jeune homme nu peint en blanc, un prisonnier de guerre capturé au cours d'un raid dans la tribu voisine. On détacha

(1) Cérémonie fétichiste.

les liens de ses mains. Deux guerriers le maintinrent par les bras.

Le sorcier se pencha sur le prisonnier, passa rapidement autour de la racine de son sexe une cordelette de fibre de noix de coco et serra de toutes ses forces. Le chef saisit les organes de sa main gauche, tira dessus avec énergie et de la droite, armée d'un couteau de bambou durci au feu, trancha d'un seul coup.

Il aspergea la falaise du sang qui coulait des organes sexuels du jeune homme. Celui-ci poussait des cris déchirants.

Le chef se boucha les oreilles et fit un signe au sorcier. Le saint homme sortit de sa jupe de feuilles un morceau d'écorce couvert d'épines recourbées. Un guerrier ouvrit de force avec le tranchant d'une hache de pierre les mâchoires du prisonnier. Le sorcier enfonça alors son morceau d'écorce épineux dans sa bouche et tira d'un coup sec, arrachant la langue et une partie de l'œsophage.

Le chef s'empara du morceau de chair palpitant et aspergea à nouveau de son sang la falaise.

Les guerriers s'étaient rués sur le prisonnier et le découpaient vivant. De son ventre tailladé, un morceau d'intestin jaillit. Un chien s'en empara et s'enfuit, déroulant derrière lui les entrailles de la victime.

Dans leur rage à s'emparer des meilleurs morceaux, les guerriers se blessaient les uns les autres.

Chaque fois ils allaient asperger de leur propre sang la falaise.

On apporta au chef la tête coupée du prisonnier.

Le chef planta profondément sa lance dans la boue bleue au pied de la falaise. Il en enleva la pointe en pierre taillée et polie et la rangea soigneusement dans son *bilum* (1).

(1) Filet que les Papous portent autour du cou et qui leur sert d'attaché-case.

Puis d'un geste sec et brutal il enfonça la tête du prisonnier sur la hampe.

Une grande acclamation salua son geste.

Le soleil disparaissait derrière les collines.

Les tambours et les flûtes s'étaient tus.

Les guerriers chargés de quartiers de viande se hâtèrent de regagner leur village au bord de la rivière Purari.

L'obscurité tombait rapidement.

Il ne faisait pas bon d'être surpris par la nuit dans la forêt remplie de fantômes et d'esprits malfaisants.

C'est avec soulagement qu'ils aperçurent sous les grands arbres les feux nombreux allumés par les femmes. Ils allaient ripailler toute la nuit! Le prisonnier avait été merveilleusement nourri pendant les derniers jours...

Ensuite ils méditeraient délicieusement dans leur hamac sur la promesse du sorcier, en suçant leurs doigts pleins d'une graisse exquise.

— Bientôt l'homme blanc reviendra pour chercher les pierres magiques!

Le sorcier ne pouvait se tromper. Il connaissait l'homme blanc mieux que lui-même depuis qu'il avait mangé la cervelle de ce missionnaire égaré.

Et ils s'endormirent les uns après les autres, la tête remplie de rêves de bombance, en ronflant terriblement à cause des os, défenses et objets divers qui transperçaient et obstruaient leurs narines.

CHAPITRE II

Au cinquième étage du massif immeuble du trust diamantaire de la de Beers à Londres, le Conseil d'Administration était réuni autour de l'énorme table d'acajou de la salle de délibérations.

Tous faisaient la tête. Le *chairman* venait de lire le dernier rapport des commissaires aux comptes. Partout dans le monde, les cours du diamant étaient à la baisse.

Dans son cadre doré, le fondateur les contemplait, sévère, la main passée dans son gilet.

— Nous avons commis beaucoup d'erreurs, chevrota le chairman. Nous avons poussé l'extraction et les ventes pendant la période d'inflation de l'après-guerre. Les possédants ont acheté beaucoup de diamants pour se préserver de l'érosion monétaire. Depuis 1980 la déflation triomphe à l'Occident. Les gens attirés par les placements à taux fixe se débarrassent de leurs diamants. Le marché est saturé. Les cours baissent.

— Nous avions négligé notre principe fondamental : maintenir la pénurie sur le marché pour vendre à des prix élevés, grommela l'administrateur sud-africain.

— Le stock est si abondant que des restrictions sur l'extraction ne suffiront pas à renverser la tendance, constata le chairman d'une voix accablée. (Il soupira.) Il nous faudrait une bonne guerre...

Il se reprit, un peu gêné.

— Je veux dire une bonne crise internationale avec menace de conflit...

Il s'était souvenu de sa femme et de ses trois enfants qui l'attendaient dans son élégant cottage de la banlieue de Londres. Ils seraient parmi les premières victimes d'une guerre atomique.

Ayant ainsi résolu ce conflit cornélien entre ses intérêts familiaux et ceux de la de Beers, le chairman se leva pour signifier que le Conseil d'Administration était terminé. Il jeta un coup d'œil par l'immense fenêtre victorienne à petits carreaux, sur la circulation dans Regent Street. La rue était quasiment bloquée. Il était six heures du soir. Le trafic ne redeviendrait fluide que dans une demi-heure...

Le chairman se rassit. Les membres du Conseil d'Administration qui s'étaient levés et commençaient à rassembler leurs papiers en firent autant. Seuls quelques sourcils haussés dans leurs visages flegmatiques montraient leur surprise devant cette prolongation de séance.

Le chairman toussota.

— Il y a autre chose, dit-il, que je voulais vous dire.

Il ignorait absolument ce qu'il allait bien pouvoir inventer. Il fouillait dans son attaché-case à la recherche d'un document quelconque. L'important, par ce temps étouffant de juin, était d'éviter de vivre cette demi-heure d'embouteillage dans sa Rolls où la climatisation était en panne.

— Ah! Voilà! dit-il en brandissant une feuille. J'ai reçu un rapport inquiétant de notre agent à Port Moresby, la capitale de la Nouvelle-Guinée. Selon lui, une firme japonaise aurait demandé l'autorisation d'explorer l'intérieur du pays à la recherche d'indices miniers. Peut-être de l'or, plus probablement du diamant. Les Japonais rêvent depuis longtemps de casser notre monopole.

— Mais c'est extrêmement grave ce que vous nous dites là ! s'écria l'administrateur sud-africain. Il suffirait de la mise en exploitation, hors de notre contrôle, d'une nouvelle mine de diamants pour que le marché s'effondre complètement. Pourquoi ne nous en aviez-vous pas parlé plus tôt ?

Le chairman s'agita un peu embarrassé.

— Il n'y a pas lieu de s'affoler. Les Japonais font des recherches dans le nord. Région dans laquelle nos géologues, en vingt ans de prospection, n'ont rien trouvé. Il va sans dire que s'ils avaient trouvé quelque chose nous aurions gelé les concessions.

— Dois-je comprendre qu'il n'en serait pas de même dans le sud ? demanda l'administrateur canadien, soupçonneux.

Le chairman soupira. Quel lièvre était-il allé soulever ! Il regretta de ne pas être dans sa Rolls surchauffée au milieu des embouteillages de Regent Street.

— Nos géologues n'ont rien trouvé non plus dans le sud qu'ils ont passé au peigne fin, expliqua-t-il, sauf dans la région du mont Giluwe infestée de cannibales et de ce fait impénétrable.

— Dois-je comprendre qu'il pourrait y avoir des diamants dans cette région ? insista l'administrateur canadien.

— Hélas, soupira le chairman, alors que la Nouvelle-Guinée était devenue indépendante et que nous ne contrôlions plus les prospections, un géologue allemand du nom de Ernst Kohln a pu pénétrer dans cette région du mont Giluwe en 1982 et a prétendu y avoir découvert une mine de diamants. Heureusement ça n'est pas dans cette région que les Japonais prospectent actuellement.

— Comment se fait-il que cet outrecuidant Allemand n'ait pas été neutralisé d'une façon ou d'une autre dès son retour à Port Moresby ? fit l'administrateur australien avec un sourire cynique.

— Notre agent à Port Moresby n'avait pas d'instructions..., fit le chairman d'une voix lamentable. Quand il nous en a demandé, l'Allemand avait déjà déposé son rapport au ministère de l'Industrie du gouvernement de Papouasie Nouvelle-Guinée et demandé une concession accompagnée d'importants crédits.

— Et alors ? fit le conseil d'administration d'une seule voix.

— Alors, le pauvre garçon se noya en mer au cours d'une partie de pêche organisée par notre agent à Port Moresby.

— Bien... bien..., dit l'administrateur canadien. Je vois que notre compagnie est encore gouvernée.

— Mais nous ne sommes pour rien dans cet accident ! s'écria le chairman en levant les bras au ciel.

— Certainement, fit, flegmatique, l'administrateur canadien, mais le rapport d'Ernst Kohln, où se trouve-t-il ?

— Le ministère de l'Industrie de Papouasie Nouvelle-Guinée n'a jamais voulu s'en dessaisir. Tout ce que nous avons pu faire c'est de le payer très cher pour qu'il le garde au secret. Mais il a tenu à conserver le document.

— Ils se réservaient cette possibilité de chantage, ricana l'administrateur sud-africain. Je vous parie qu'ils vont nous menacer de vendre ce rapport aux Japs. Ces nègres sont tous pareils.

— Ce ne sont pas des nègres mais des Mélanésiens, protesta le chairman.

L'Australien ricana encore plus ostensiblement que le Sud-Africain.

— Quelle preuve a-t-on que cet Allemand a bien découvert une mine de diamants ? demanda l'administrateur canadien.

— Aucune. Il n'avait rapporté à Port Moresby aucun échantillon. Il prétendait qu'une troupe de Papous cannibales kukukukus l'avait attaqué sur le chemin du retour, lui avait enlevé ses porteurs pour les manger et accessoirement lui avait volé tous ses bagages, parmi lesquels un sac de diamants bruts, preuve de sa découverte.

L'administrateur australien hocha la tête d'un air préoccupé.

— Ça serait quand même embêtant, lâcha-t-il, d'une voix sombre, si ces Japonais achetaient au gouvernement papou ce rapport, tout douteux qu'il soit, observa le Canadien.

— C'est pourquoi, dit le chairman, nous avons recommandé à Mark Darling, notre agent à Port Moresby, de surveiller les Japonais. Si ceux-ci font une offre, il enchérira.

Le chairman s'était levé. Ça roulait maintenant très bien dans Regent Street.

— Cette question étant réglée, dit-il, donnons-nous rendez-vous demain à la même heure pour écouter la suite des rapports de nos commissaires aux comptes.

L'administrateur australien se leva le dernier. Il était soucieux. La question ne lui semblait pas du tout réglée. On ne savait pas vraiment s'il existait une mine près du mont Giluwe. Les Japonais aux dents longues semblaient flairer une piste en Nouvelle-Guinée. Le gouvernement papou était à vendre au plus offrant. Le marché mondial du diamant était en jeu et tout reposait sur les épaules d'un petit agent local, probablement abruti par le climat et le whisky.

C'est ce qu'il expliqua à son ami John Corby, rédacteur en chef adjoint de l'*Economist*, avec lequel il dîna chez *Simpson's*. Il est possible qu'il lui en ait dit alors un peu trop...

CHAPITRE III

Une violente explosion ébranla l'immeuble du faubourg Montmartre. Des morceaux du plafond de la chambre de bonne où dormait encore Jak Malan tombèrent sur son visage.

Malan ouvrit un œil, chassa les gravats d'un revers de main molle et grogna :

— Encore des racketters !

Dans ce quartier chaud de Paris, les bars, les restaurants et les boutiques flambaient comme des allumettes quand ils ne pétaient pas comme des bombes algériennes. La guerre du racket, à peine interrompue par le massacre des frères Zemour, faisait à nouveau rage entre les gangs pieds noirs, les macs arabes et les « familles » corses.

Jak bâilla avec ennui. Il était las de ces truands et de leurs pétards.

Pendant toutes les années où il avait loué ses muscles, sa science du close combat et son intelligence aux services secrets français, il avait appris à bien connaître les malfrats.

Et parfois à les aimer.

Il avait recruté parmi eux quelques fines gâchettes et quelques subtils spécialistes de serrurerie pour certaines missions délicates, en Afrique ou dans les émirats, lorsqu'il fallait supprimer certains gêneurs ou percer certains secrets.

Il avait fini par s'installer dans leur quartier. Il se sentait plus proche d'eux, de leur brutalité mêlée de vantardise, que des grands patrons de l'espionnage distants et devenus professionnellement insensibles.

Parfois cela l'amusait de s'occuper des querelles de clans des voyous, parfois il leur prêtait ses bras et son cerveau par pur cynisme. Son mépris des hommes et de leur société esclavagiste et corrompue y avait trouvé à s'assouvir.

Mais depuis quelque temps Jak Malan rêvait d'autre chose.

L'explosion qui avait déclenché la pluie de gravats le mit dans une humeur exécrable.

Il en avait assez de ces demi-sels et de leurs petites combines.

Il en avait assez de risquer sa peau pour une poignée de dollars dans les missions secrètes de la « Piscine (1) ». Le coup d'État aux Secheylles, il y était. La remise sur son trône du président M'Ba au Gabon, il y était. Il avait alors vingt ans. Les pièges tendus à Bokassa, c'était lui. Il avait été de tous les coups. Il n'y avait récolté ni gloire ni fortune.

A quarante ans, il n'était que l'agent anonyme n° 120. Quand on n'aurait plus besoin de lui on le jetterait comme un vieil outil usé. Il avait le sentiment d'avoir perdu sa jeunesse.

Dans le camp de réfugiés de Hochstein, près de Vienne, où il avait passé son enfance après la guerre, la vieille gitane lui avait prédit, après avoir examiné sa menotte : « Un jour, tu te vengeras, les hommes auront peur de toi. Tu prendras leurs femmes et leur argent. »

C'était en 1950. Il avait cinq ans. Il n'avait pas oublié. Comme il n'avait pas oublié son enfance

(1) Surnom donné à l'immeuble du SDEC.

martyre parmi les apatrides rejetés par le monde entier.

Oui, il était bien décidé à passer le reste de sa vie à se venger, à arracher par la ruse et par la violence, et l'argent et les femmes, à cette société féroce qui l'avait privé de tout à l'âge où on est incapable de rien exiger.

Déjà il avait refusé l'esclavage du travail. Il avait vécu de sa science du jeu et de missions dangereuses pour les « Services » depuis son arrivée en France.

Mais il avait conscience que tout ce qu'il avait fait jusqu'à présent n'était pas à la hauteur du destin qu'il rêvait et que lui avait promis la vieille gitane.

Ce qui lui fallait c'était l'aventure, la Grande Aventure vécue enfin pour son compte, où il pourrait déployer sa force implacable et son intelligence aiguisée.

Un bruit de papier froissé le tira du lit. La concierge venait de glisser son courrier sous la porte.

Il détacha la bande de l'*Economist,* la grande revue économique et financière britannique. Jack Malan s'y était abonné, ainsi qu'à *Business Week,* son équivalent américain.

Il savait que c'était dans les échos de ces puissants magazines qu'il trouverait un jour le secret de l'aventure qui lui apporterait la fortune.

En 1986 un aventurier ne fait pas fortune en affrontant les espions russes ou les gangs minables du quartier, mais en montant de formidables pièges contre les richissimes multinationales.

Il eut une pensée triste pour son père qu'il avait à peine connu, pauvre paysan arraché par la guerre à sa terre roumaine et qui avait usé ses dernières forces à monter dans le camp de réfugiés de Hochstein un misérable petit trafic d'alcool. Il était mort de cette honte, plus encore que de la tuberculose, et du chagrin d'avoir perdu sa femme, violée par une compagnie entière de grenadiers russes lors de la débâcle allemande.

Jak Malan grinça des dents en jetant l'*Economist* sur son lit. Il avait aussi à venger cette mère qu'il n'avait jamais connue. Tous les baisers, toutes les caresses qu'on lui avait volés en l'assassinant, il allait falloir que les hommes, tous les hommes, — les Russes et les autres —, les payent au centuple.

Il lut en premier les petits échos. C'était là dedans que se cachaient souvent les perles et les diamants.

Les diamants... justement il tombait sur cet écho :

« Le Conseil d'Administration de la de Beers, au cours de sa dernière réunion, s'est inquiété des recherches entreprises par des géologues japonais en Nouvelle-Guinée. D'après ses renseignements, ces géologues chercheraient des gisements diamantifères. Il semble que des indices aient été découverts dans un passé récent par certains géologues. Une découverte importante en Nouvelle-Guinée pourrait destabiliser gravement le marché du diamant, déjà très déprimé par la déflation de ces dernières années. »

Jak Malan croyait fortement au hasard. A la chance.

Il lui sembla que le destin venait de lui faire signe.

D'abord un café au bistrot du coin et tout de suite le cap sur la librairie Ulysse dans l'île Saint-Louis, spécialisée dans les récits de voyages, providence des explorateurs et des aventuriers.

Jak Malan avait acheté en bloc les treize livres concernant la Nouvelle-Guinée qu'il avait dénichés dans le rayon « Mélanésie » de la librairie Ulysse.

La libraire était presque consternée : un rayon entier vidé ! C'était la première fois que cette aventure lui arrivait. Elle aimait tellement ses livres de voyage qu'elle souffrait quand elle les vendait.

Malan emporta son butin dans le plus proche café, s'assit à une table du fond, commanda une demi bouteille de champagne, et commença à feuilleter les livres.

Il regarda d'abord les tables des matières.

S'il ne trouvait pas mention d'un chapitre sur la géologie et les ressources minières, il passait à un autre livre.

C'est dans le récit d'un voyageur anglais publié chez Sidgwick et Jackson à Londres en 1984, sous le titre *Papuan Notes*, qu'il découvrit le premier indice.

Le chapitre était intitulé « Le secret de la mine perdue ».

Il contait l'étonnante odyssée d'Ernst Kohln, géologue allemand, qui s'était enfoncé dans la jungle de la chaîne de Bismarck et avait poussé jusqu'aux flancs du mont Giluwe.

C'était le territoire des Kukukukus, la plus redoutée des tribus papoues.

« Kohln, rapportait le voyageur anglais, aurait découvert en 1982 des terrains diamantifères dans une vallée inexplorée.

« Sur le chemin du retour, les Kukukukus l'avaient attaqué et laissé pour mort après avoir dévoré ses porteurs et volé ses diamants.

« Il avait pu se traîner jusqu'à une mission catholique américaine.

« Les missionnaires l'avaient ramené à Port Moresby dans leur Cessna monomoteur. Il était décédé peu après dans un accident.

L'aventure d'Ernst Kohln avait mis en ébullition le petit monde des aventuriers de Port Moresby, composé surtout de chercheurs d'or.

« Mais le rapport de Kohln mentionnant l'emplacement de la mine ne fut pas rendu public. Le gouvernement de Papouasie le gardait au secret. On prétendait que la de Beers avait payé pour cela d'énormes sommes au ministre de l'Industrie. On prétendait aussi que le vénal ministre avait dû partager ce pactole avec ses collègues.

« La façon dont avait été fait ce partage n'aurait pas contenté tout le monde...

« Un ministre avait menacé de vendre le rapport aux Japonais, grands amateurs de mines de diamants.

« Mais voilà ! C'était le ministre de l'Industrie qui détenait le précieux document !

« Et il l'avait bien caché ! »

Cette lecture plongea Jak Malan dans une profonde rêverie. Décidément le destin lui faisait signe !

Avec un peu d'audace et un zeste de férocité il devait être possible de tailler une tranche imposante dans l'énorme gâteau tropical qu'il entrevoyait.

Des diamants, un plan caché, des « ministres intègres », des Japonais alléchés et une multinationale en proie à la panique...

Il décida brusquement que lui, Jak Malan, aventurier lassé de travailler pour les services secrets et accessoirement de terroriser le faubourg Montmartre, allait planter dans ce superbe mille-feuille ses dents avides.

Avide de dollars certes, mais avide aussi d'infliger le maximum de blessures à cette société féroce et égoïste qui lui avait volé son enfance et sa mère.

Achevé d'imprimer en avril 1987
sur les presses de l'Imprimerie Bussière
à Saint-Amand (Cher)

— N° d'édit. 11584. — N° d'imp. 748. —
Dépôt légal : avril 1987.

Imprimé en France